W9-DDY-563

COTE SUD
Imm.
Cristal Palace
Les Berges
du Lac
Tunis

LES COULEURS DE LA MAISON

BIGI
Secco
1984

LES COULEURS DE LA MAISON

ANNIE SLOAN ET KATE GWYNN

TRADUCTION DENIS A. CANAL

Flammarion

À nos pères

Titre de l'ouvrage original : *Colour in decoration*
publié par Lincoln Ltd, Londres
© Frances Lincoln Ltd, 1990
© Annie Sloan et Kate Gwynn pour le texte, 1990
© Flammarion pour l'édition française, 1991
ISBN : 2-08201-917-9
N° d'édition : 0323
dépôt légal : octobre 1991
imprimé à Hong Kong

SOMMAIRE

INTRODUCTION

La gamme étendue des couleurs dont nous disposons aujourd'hui est une nouveauté stimulante : couleurs simples ou mélanges de couleurs, tout est à portée de main, sur simple demande. Cela n'a pas toujours été le cas et l'évolution s'est faite progressivement. Autrefois, on utilisait les colorants disponibles sur place, de sorte que le rouge ou le jaune des pigments dépendaient essentiellement de la couleur de la terre locale. Diverses plantes tinctoriales et autres colorants pouvaient être également disponibles ; il arrivait en outre, grâce à quelque voyageur de passage, à la découverte d'une route commerciale ou à une innovation technologique, que de nouvelles couleurs fissent leur apparition. Parmi les étapes qui marquèrent cette évolution, il faut mentionner l'ouverture des routes commerciales de l'Extrême-Orient, au Moyen Âge, qui enrichit la palette européenne de couleurs comme l'indigo. Au milieu du XIXe siècle, quand les chimistes eurent mis au point les colorants synthétiques à l'aniline, on vit apparaître, dans la peinture occidentale, des couleurs aussi originales que le vert de chrome ou le rouge magenta. Après la Première Guerre mondiale, la qualité du blanc fut améliorée et transformée grâce au dioxyde de titane, ce qui entraîna un éclat nouveau et exceptionnel dans la peinture du XXe siècle.

Au fur et à mesure que s'étendait la gamme des coloris disponibles, on se mit à utiliser la couleur de façon nouvelle. Des univers colorés, jusqu'alors inconnus, s'ouvrirent grâce aux voyages, au commerce et aux conquêtes coloniales : ainsi, ceux des civilisations aztèque et inca furent connus en Europe au XVIe siècle par la conquête espagnole. L'ouverture commerciale de la Chine, au XVIIIe siècle, fit connaître aux industriels et aux artisans de l'Occident des couleurs de qualité toute différente. Les voyageurs étaient stupéfaits par ce qu'ils découvraient. Au XVIIIe siècle toujours, les Européens commencèrent à visiter les vestiges des anciennes civilisations romaine, grecque et égyptienne. Des architectes comme Robert Adam en Angleterre ou Karl Friedrich Schinkel en Allemagne furent parmi les premiers à s'en inspirer pour utiliser des combinaisons de couleurs brillantes, jusqu'alors inusitées : des roses, des bleus, des pourpres et des verts francs et éclatants.

Les voyages jouent toujours ce rôle d'inspiration pour de nouvelles associations de couleurs, mais ces idées « importées » ne se transposent pas toujours sans une judicieuse adaptation. La décoration d'un appartement parisien peut avoir été inspirée par le choc des couleurs d'une maison mexicaine, mais l'effet obtenu sera nuancé par la qualité différente de la lumière en Europe, autant que par le style et l'époque du mobilier et des pièces.

La qualité de la lumière est un facteur essentiel. Les peuples des climats chauds ont tendance à utiliser des couleurs pures qui vibrent sous une lumière éclatante, tandis que ceux des régions tempérées mélangent leurs pigments pour obtenir des couleurs plus sourdes et plus douces. Des couleurs trop éclatantes peuvent sembler criardes lorsqu'il y a peu de soleil ; inversement, les tweeds aux coloris doux, si adaptés à l'atmosphère de l'Écosse, paraissent ternes et « sales » sous les Tropiques.

Le choix des couleurs est un domaine très personnel. Ce qui est délicat et raffiné aux yeux d'une personne peut fort bien paraître insipide ou vulgaire aux yeux d'une autre. De plus, la même couleur peut varier en fonction du cadre ou du décor ; vous l'apprécierez ici, vous la refuserez là.

La préférence personnelle peut donc être le point de départ pour choisir une couleur ; ce sera à coup sûr le critère final pour établir une combinaison de couleurs que l'on envisage. Les associations de couleurs ont très souvent des effets profonds sur notre humeur et notre bien-être. L'avis des experts et toutes les théories des couleurs n'auront aucun effet si vous n'êtes pas satisfait du résultat obtenu.

***Page de gauche :** à la fin des années 1820, Schinkel choisit des roses, des verts et des bleus pâles et vifs pour décorer le château de Charlottenhof, en Allemagne. Cela fut considéré comme révolutionnaire. Cette photographie permet d'apprécier la hardiesse de sa palette.*

Songez un instant à votre bleu favori. Ce peut être l'éclat profond et lumineux d'une céramique précieuse, le bleu ardoise d'un paysage marin orageux, la tendre couleur pastel d'un œuf d'oiseau, la teinte vague et indéfinissable d'un jeans délavé... Regarder certains objets provoque chez vous une impression de plaisir et votre réponse sera celle d'un artiste : vous avez envie d'utiliser cette couleur. Lorsque vous avez conscience de ce genre de relation, abandonnez-vous à cette couleur, mais étudiez également les qualités qui vous plaisent tant en elle : sa texture, sa profondeur, etc. Gardez alors à l'esprit tous ces éléments tout en cherchant les façons de l'employer.

En fait, que recherchez-vous dans une combinaison de couleurs donnée ? Le modèle d'un tissu aimé, les couleurs d'un jouet ou d'une image de livre, un objet que vous avez vu dans un musée, les couleurs d'un paysage de vacances.... Dans ce cas, vous avez le principe de base tout trouvé de votre décoration.

Cependant, des associations désagréables peuvent nous faire détester une couleur. Réfléchissez à celles que vous n'aimez pas, car elles peuvent contredire totalement les théories des « experts ». Mais souvenez-vous que, si les réactions « instinctives » sont importantes, les couleurs varient elles aussi en fonction de leur environnement et de leur association avec d'autres nuances.

LE CERCLE CHROMATIQUE

Il s'agit d'un procédé traditionnel pour représenter l'ensemble des couleurs du spectre et illustrer leurs relations. Il a pour origine les différentes longueurs d'onde de la lumière qui produisent les six couleurs que nous discernons dans un arc-en-ciel. Dans cette représentation, les couleurs suivent le même ordre que dans un arc-en-ciel, mais sont disposées de manière à former un cercle. Pour des raisons de commodité, notre cercle est divisé en douze fractions distinctes alors que, dans la réalité, les « bandes » de l'arc-en-ciel se mêlent les unes aux autres. Le cercle chromatique permet aussi de définir deux autres types de relations entre les couleurs :

Les complémentaires : les couleurs complémentaires sont celles qui sont diamétralement opposées sur le cercle — le rouge et le vert, le bleu et l'orange, le violet et le jaune, etc. Elles sont différentes et offrent le contraste le plus vif mais, quand elles sont juxtaposées, elles produisent des effets visuels stimulants que nous décrirons plus loin dans « le comportement des couleurs ».

Les harmoniques : les teintes situées entre deux couleurs primaires — la garance, le violet et le bleu-violet —, positionnées entre la couleur secondaire de cette section (ici, le violet) sont plus harmonieuses que celles qui encadrent une couleur primaire. L'œil passe facilement de l'une à l'autre. Même en dehors du cercle chromatique, la relation entre ces couleurs harmoniques paraît plus évidente.

Une série de teintes encadrant une couleur primaire — par exemple, de part et d'autre du jaune, un jaune citron et un jaune orangé — sera naturellement plus discordante et exigera davantage de prudence dans son association à l'intérieur d'une harmonie de couleurs.

Dans le cercle chromatique, le noir, le blanc, le brun, les différents tons de gris et les couleurs neutres brillent par leur absence. Ils sont très importants dans les combinaisons de couleurs, mais n'entrent pas dans le principe de cette représentation.

LE LANGAGE DE LA COULEUR

Pour comprendre la manière dont les couleurs agissent, il est important de connaître le vocabulaire utilisé : « teinte », « intensité » et « ton » sont les termes employés pour décrire les aspects ou les caractéristiques de chaque couleur. De nombreux facteurs, en effet, affectent la nature d'une couleur : le liant a, par exemple, une importance capitale. En peinture, le pigment — poudre sèche colorante — est dilué dans un mélange à base d'huile

Ci-contre : le cercle chromatique est la représentation visuelle, simple et pratique de la perception des couleurs et de leurs relations, qui illustre les principes de base des teintes, des harmoniques et des complémentaires. Un cercle chromatique peut n'avoir que six couleurs — trois primaires et trois secondaires — ou beaucoup plus. Avec ses douze teintes, celui-ci comporte également les couleurs tertiaires.
***Couleurs primaires** : le bleu, le rouge et le jaune sont les trois couleurs primaires, à leur état pur, sans aucun mélange.*
***Couleurs secondaires** : le violet, l'orange et le vert représentent chacun un mélange de deux couleurs primaires ; le violet par exemple contient du rouge et du bleu, etc.*
***Couleurs tertiaires** : ces couleurs sont obtenues par le mélange d'une couleur secondaire et d'une des primaires qui la compose. Le turquoise est ainsi un mélange de bleu et de vert ; le vert-jaune est un mélange de vert et de jaune ; la garance est un mélange de violet et de rouge. Les autres couleurs tertiaires — rouge-orange, orange-jaune et bleu-violet — n'ont pas de nom spécifique.*

***Page de gauche** : cette illustration montre les variations tonales d'une couleur à partir de sa teinte pure — bande du milieu — jusqu'aux tons plus clairs ou plus sombres. Une couleur est dite pure lorsqu'elle est totalement saturée et ne comporte aucune addition de blanc ou de noir. Certaines couleurs — le bleu, par exemple — ont de multiples déclinaisons, tandis que d'autres, comme le jaune ou l'orange, offrent moins de variations. Au sens strict, les couleurs comme « orange sombre » ou « jaune sombre » n'existent pas : l'orange vire au brun lorsqu'il s'assombrit et le jaune au brun-vert plus ou moins indéterminé, comme on peut le constater ici. En décoration, une harmonie de couleur peut être obtenue en employant des couleurs de même tonalité ou en combinant différents tons de la même couleur.*

ou d'eau, puis appliqué sur une surface. Des couleurs diluées dans un mélange qui sèche de façon mate auront un aspect différent si elles sont diluées dans un mélange qui séchera en restant brillant. De la même façon, la texture de la surface peinte — lisse ou rugueuse — affectera de façon significative la couleur.
La teinte : ce mot désigne la qualité de la couleur qui lui donne sa position sur le cercle chromatique, son degré de rouge, de bleu ou de vert par exemple.
L'intensité : ce mot fait référence à l'éclat, la pureté et la densité de la couleur. On peut parler aussi de « saturation ». Quand une couleur est à son intensité maximum, elle est forte, éclatante et nette. Le contraire d'une couleur intense est une couleur terne, assourdie, affaiblie, éteinte.
Le ton : ce terme est employé pour définir la clarté d'une couleur ou son contraire. Le bleu peut ainsi varier du bleu sombre, tirant vers le noir (ton sombre), au bleu très clair, proche du blanc (ton clair). Les teintes du cercle chromatique ont également des valeurs intrinsèques. Le jaune est le ton le plus clair, le violet le plus sombre. Le rouge et le vert ont la même valeur : ils auront presque la même nuance de gris, sans contraste de ton, sur une photographie du cercle chromatique en noir et blanc.

Les rouges et les bleus peuvent se marier de différentes façons. ***Ci-contre :*** *le magenta pur et le bleu outremer ont la même intensité, mais ils sont également proches sur le cercle chromatique, de sorte qu'ils paraissent en harmonie. La blancheur des murs et des plafonds équilibre leur vivacité.* ***Page de droite :*** *des tons pâles de ces mêmes couleurs décorent cette véranda. De nuance et de tonalité harmonieuses, elles n'ont pas la même texture et créent une atmosphère différente. Le bleu et le rose ont tous deux été estompés et pâlis au même degré, de sorte qu'ils semblent se fondre. Nul besoin de blanc ici.*

LE COMPORTEMENT DES COULEURS

La juxtaposition de différentes couleurs produit des effets variés. Une illusion d'optique bien connue consiste à fixer pendant un certain temps un point rouge, puis à regarder un morceau de papier blanc : on aura l'illusion d'y voir apparaître un point vert. Ce vert illusoire est une « contre-image », la couleur complémentaire du rouge que vous avez fixé auparavant. C'est en quelque sorte la couleur nécessaire à l'œil pour se reposer de l'intensité du rouge.

Les décorateurs exploitent ce phénomène en introduisant, par exemple, une touche d'orange pour relever l'uniformité d'un ensemble de bleus : l'orange, complémentaire du bleu, est agréable à l'œil. Ainsi, on constatera souvent que les nuances employées ne sont pas des couleurs pures : des orange « assourdis » — orange brûlé ou abricot — sont efficaces pour équilibrer l'effet des bleus.

Les problèmes surviennent lorsque l'on donne à des couleurs complémentaires une importance égale dans un projet de décoration qui les utilise à leur plus grande intensité. Il est impossible à l'œil de se fixer sur les deux couleurs en même temps et la sensation de papillotement est très inconfortable. En revanche, si l'on affaiblit l'une ou l'autre des couleurs (ou les deux) ou encore si l'on donne à l'une ou à l'autre une intensité plus forte de sorte qu'elle prédomine, le résultat sera éclatant et ne provoquera pas d'inconfort visuel.

D'autres propriétés des couleurs donnent lieu à des anomalies de la perception, que l'on pourrait appeler des effets de proximité. La science peut expliquer pourquoi les collines et les montagnes lointaines paraissent toujours bleues, pourquoi les fleurs rouges semblent

plus proches que le feuillage vert qui les entoure et pourquoi, dans les villes, le jaune est la couleur que l'on perçoit le mieux (ce qui explique la couleur des taxis américains, par exemple). Ces propriétés s'appliquent aussi à la décoration intérieure : les murs rouges « avancent » et font paraître une pièce plus petite, alors que les murs bleus « reculent » et donnent une impression d'espace ; le jaune éclatant attire l'attention. Les déformations de la perception visuelle sont ainsi mises à profit.

Ces effets de proximité ont pour parallèles les effets de « chaleur » et de « froideur » des couleurs. Celles qui ont pour base la zone jaune-orange-rouge du spectre paraissent chaudes et proches ; plus elles sont intenses, plus elles semblent se projeter en avant. Une petite quantité produira déjà de grands effets ; en proportion plus importante une sensation de chaleur très vive dominera. Les bleu-violet, les bleus, les bleu-vert et le noir semblent au contraire « reculer » et créent une impression d'espace. Les bleus et les violets sont généralement considérés comme des couleurs « froides ». Il faut pourtant se méfier des idées préconçues sur les couleurs « chaudes » et « froides » : les couleurs peuvent être subtilement assourdies et modifiées par l'adjonction de pigments, et certains roses et garances peuvent être parfaitement froids. De la même façon, un bleu-vert auquel on a ajouté une touche de jaune peut très bien paraître chaud et vibrant, contrairement à la « froideur » traditionnellement associée aux bleus.

La qualité d'une couleur dépend beaucoup de la qualité de la lumière qui l'éclaire. La lumière du jour modifie la couleur en soulignant le contour des objets qu'elle éclaire.

Ci-dessous : le changement de la couleur du mur — du vert au violet —, derrière ces étagères, transforme l'effet d'ensemble. Toutes les deux sont pourtant des exemples d'associations harmonieuses à partir d'une couleur primaire. La combinaison de vert, de jaune et d'orange dans la première est vive et animée ; le fond violet de la seconde, quoique plus sombre, est subtilement rehaussé de bleu et de vert-jaune.

Ci-dessus : à première vue, il est difficile de croire que ces photographies sont prises dans la même pièce, mais sous des angles différents, et l'une en lumière naturelle, l'autre en lumière artificielle. En lumière naturelle, les surfaces éclairées de la table et des murs sont plus claires, le reste, dans l'ombre, n'apparaît que sous forme de contours. En lumière artificielle, il y a peu d'ombres et la variété des couleurs, des tons et des textures est bien visible.

Imaginons une pièce dans laquelle toutes les surfaces et tous les objets seraient peints de la même couleur : malgré sa monochromie, ce décor serait immanquablement animé par la lumière. Le mur opposé à la fenêtre paraîtrait beaucoup plus clair que celui où se trouve la fenêtre ; certaines zones seraient dans une ombre prononcée, les surfaces brillantes reflèteraient un éclat blanchâtre, etc. La lumière artificielle créerait des effets tout différents. C'est la raison pour laquelle il est judicieux de regarder la couleur des tissus, des revêtements muraux et des peintures à la lumière naturelle, puis de les comparer sous un éclairage artificiel. Le ton jaunâtre de la lumière des lampes normales à incandescence « réchauffe » les surfaces qu'il éclaire ; les éclairages fluorescents donnent des nuances plus dures et plus bleutées. Certaines couleurs changent radicalement, même à la lumière des lampes à incandescence : les jaunes — surtout les jaunes pâles — tendent à « disparaître », les ocres brunes virent à l'orange, les verts moyens tournent au vert-jaune et les pourpres passent au brun. Des lampes qui corrigent la couleur existent sur le marché, mais elles sont coûteuses et réservées généralement à des usages spéciaux : studios d'artiste, magasins de tapis, etc.

ASSOCIATIONS DE COULEURS

La plupart des associations appartiennent à l'une des grandes catégories ci-dessous. Pour les trois premières, on sera attentif aux liens, aux similitudes et aux affinités entre les divers composants ; dans les autres cas, on exploite les contrastes et les différences, de sorte que les objets se distinguent les uns des autres au lieu de se fondre dans une unité chromatique.

Les associations monochromes : elles impliquent le choix d'une seule teinte pour toute une pièce, dont on module le ton et l'intensité, ainsi que la présence de zones de couleur profonde, de tons moyens et d'éclaircissements. Cette solution peut sembler un peu simple, mais les variations que l'on peut obtenir à l'intérieur d'une combinaison monochrome sont considérables, à tel point que parfois, au premier coup d'œil, on n'aura pas l'impression de monochromie, mais bien de plusieurs couleurs ; c'est le résultat idéal. On obtiendra des effets plus intéressants avec les jaunes, les rouges et les oranges qu'avec les bleus, les violets et les verts aux tonalités plus profondes. Un jaune à nuance froide, par exemple, s'adoucira en un vert-de-gris ou s'approfondira en vert olive, masquant ainsi totalement la teinte d'origine. Une teinte bleu-vert, en revanche, est reconnaissable en tant que telle, quels que soient ses ombres, ses lumières et ses éclaircissements.

Les combinaisons monochromes peuvent également s'appuyer sur des couleurs neutres comme le blanc cassé, le sable ou le beige ; on les marie souvent avec des matériaux naturels tels que le bois, la pierre, les coquillages, le sisal ou la toile de jute, qui présentent des affinités de couleur.

Outre les subtiles variations de ton et d'intensité que vous pouvez utiliser pour animer une harmonie monochrome, il est également possible de relever l'effet monochrome par des contrastes de texture avec d'autres matériaux : les métaux comme le chrome, le cuivre ou l'acier inoxydable ; le verre ou le miroir ; le bois, la pierre ou le marbre polis. Même si ces

Les ensembles monochromes peuvent être ravivés par l'emploi de matières contrastées et de détails décoratifs, comme le montrent ces deux intérieurs. La couleur délavée du mur de ce couloir, à New York (ci-dessus), encadre bien les tons chauds de la table sculptée et dorée et du miroir. L'ocre des revêtements de marbre et des vases élargit la gamme des couleurs neutres. Une association analogue de couleurs et de matières a été utilisée dans ce salon londonien (ci-contre). Des couleurs neutres associées à des matières et des surfaces naturelles créent une atmosphère paisible. Les dorures et les nuances riches du parquet ajoutent de la chaleur et de la profondeur à la pièce.

matériaux ont leur couleur propre, comme le « jaune » du cuivre, l'éclat de leur surface leur donne une qualité beaucoup plus abstraite, presque celle de la lumière pure.

Enfin, il est important de savoir que nombre d'harmonies apparemment monochromes sont en fait de simples versions de l'un des principes du contraste selon lequel une couleur prédomine quand elle est animée par de délicates touches de teintes différentes.

Les harmonies de teintes : les teintes qui se suivent sur le cercle chromatique se marieront également bien dans un projet de décoration, même si elles n'ont pas le même ton ni la même intensité ; il n'est pas non plus obligatoire de les utiliser dans les mêmes proportions.

Les harmonies de ton et d'intensité : on peut utiliser un éventail plus large de teintes si celles-ci sont de valeur égale ou d'intensité similaire. Les projets de décoration fondés sur ce principe peuvent mettre en valeur l'affinité des couleurs sans pour autant suivre une règle chromatique stricte. Les motifs victoriens polychromes en sont souvent de bons exemples ; les teintes étant adoucies au même degré, elles ont la même « saveur ». Ce principe est également celui de nombreux tissus et revêtements muraux modernes polychromes.

Les contrastes de tons : parmi les contrastes les plus saisissants figurent ceux qui marient le

Ci-dessus à gauche : *la gradation des couleurs sur les murs de cet atelier à Charleston, en Grande-Bretagne, a été calculée très précisément pour créer une délicate harmonie de nuances. Associée aux gris et aux bleu-vert froids, la relative chaleur du lie-de-vin assourdi se trouve ainsi accentuée.*

Ci-dessus à droite : *le bleu, le vert et le gris s'harmonisent bien dans cette pièce simplement décorée, car leurs valeurs et leurs nuances s'équilibrent : ce sont des couleurs légèrement assourdies, mais nettes. La couleur naturelle du plafond et les murs mouchetés produisent un effet de clarté atténuée qui donne à la pièce une atmosphère très reposante.*

Ci-dessous à gauche : ce couloir moderne est un bon exemple de couleurs primaires employées avec élégance et assurance. Juxtaposées avec le même degré d'intensité, les trois couleurs primaires peuvent parfois se nuire. Cette association est particulièrement heureuse, comme ici, lorsque l'une de ces trois couleurs a été légèrement atténuée : le rouge et le jaune ont la même intensité, alors que le bleu est délicatement assourdi. Ainsi, la couleur « jaune » du mur est en réalité un effet de la lumière passant à travers les fenêtres verticales en verre peint en jaune sur le mur qui est blanc et apparaît comme tel, la nuit venue.

Ci-dessous à droite : les larges bandes de bleu et de jaune sur les murs de ce cabinet de travail illustrent la réussite de la juxtaposition de couleurs opposées. Cette audace est équilibrée par les rayures blanches et noires du tissu du fauteuil.

noir et le blanc, les deux extrêmes de l'intensité de la lumière. Noir et jaune — la teinte la plus claire — ainsi que blanc et bleu ou violet — la teinte la plus sombre — créent un contraste presque aussi fort que le blanc et le noir.

Les associations primaires : elles n'utilisent que les primaires. Les couleurs sont très éclatantes, et parfois dures pour l'œil, car elles sont d'intensité égale. Les décorateurs modernistes utilisaient les couleurs primaires avec efficacité en les juxtaposant à du blanc.

Les associations complémentaires : les plus simples sont fondées sur l'assemblage de couleurs opposées sur le cercle chromatique. En règle générale, une surface plus importante de couleur froide est équilibrée par une plus petite quantité de la couleur chaude complémentaire ; l'une ou l'autre des couleurs — ou les deux — sont modulées en tonalité et en intensité. Cet équilibre est obtenu, par exemple, en utilisant une couleur pour recouvrir un canapé et la couleur complémentaire pour passepoiler les coussins.

Les associations complémentaires décalées : en définition stricte, elles utilisent trois couleurs du spectre. Une couleur n'est pas équilibrée par sa complémentaire, mais par les deux couleurs qui l'entourent. On peut créer ce genre d'associations à partir de couleurs proches des complémentaires exactes, ce qui donnera de multiples possibilités. Le vert ne sera pas marié au rouge, par exemple, mais au violet et à l'orange, et l'on peut aussi jouer sur les intensités : le vert peut être laissé brillant alors que l'orange sera éclairé d'un peu de blanc et de violet approfondi et assourdi pour devenir un brun-bleu.

Le point de départ de votre choix peut être une couleur attirante, quelque chose qui donnera le ton de votre projet de décoration. Cela peut être un objet ou une couleur que vous aimez et que vous souhaitez employer ; si tel est le cas, elle peut déjà apparaître dans un objet que vous possédez (collection de verres, porcelaine de Chine, tapis, tableau, siège

Le rouge et le vert, couleurs complémentaires, sont utilisés ici avec simplicité et franchise dans cette chambre à coucher de style américain ancien. Ils sont juxtaposés élégamment, avec du blanc, dans le tissu des dessus-de-lit en patchwork et délicatement repris dans les boiseries vertes et dans les anneaux de rideaux rouges.

etc.). Un objet tel qu'un tapis, une laque ou une céramique pourra en outre offrir une association de couleurs toute constituée, qu'il vous sera alors possible de développer. On peut également créer une harmonie de couleurs à partir de tissus, de coussins, de photographies et d'autres accessoires d'ameublement.

Parfois, il existe déjà, dans la pièce à décorer, une couleur dont il faut tenir compte : carrelage autour d'une cheminée, tapis, canapé, etc., que vous ne pouvez pas remplacer. Pour réussir la décoration de la pièce, une connaissance des accords de couleurs est indispensable ; avec un choix judicieux des teintes avoisinantes, ce qui pouvait paraître au départ peu enthousiasmant peut être complètement transformé et devenir tout à fait satisfaisant.

Si votre intérieur est d'une époque ou d'un style particulier, vous pouvez prendre en

C'est le soir que ce bureau intime et confortable révèle le mieux son harmonie de couleurs, quand la chaleur et la force des rouges, des jaunes et des bruns sont ravivées par la lumière électrique. Un fauteuil de couleur claire, au tissu élégamment quadrillé, forme un délicat contraste avec les couleurs plus sombres de la bibliothèque.

considération la décoration originale. Si vous avez, par exemple, des corniches moulurées et un plafond orné de stuc, ou bien de superbes lambris, vous vous inspirerez de la palette en usage à la période considérée. Il n'est pas indispensable de suivre à la lettre l'authenticité historique ; il suffira de se référer aux tonalités d'ensemble et de les marier à des couleurs qui pourraient les actualiser. Pour un appartement des années trente, vous choisirez ainsi des couleurs légères et assourdies, ou des tons neutres, contrastés avec des surfaces chromées ou laquées. Si vous décidez de créer une décoration plus personnelle, il faut qu'elle soit toutefois en accord avec le style de votre maison : des couleurs synthétiques violentes, par exemple, pourraient paraître déplacées dans une propriété de campagne aux pierres couleur ocre.

La fonction d'une pièce doit également être prise en compte lorsque vous choisissez ses couleurs. En règle générale, les pièces qui ne sont pas utilisées en permanence peuvent recevoir des couleurs plus fortes. De la même façon, des pièces utilisées essentiellement la nuit peuvent exiger des couleurs plus profondes et plus intenses, afin d'atténuer l'effet jaunissant des lampes d'éclairage. La lumière est aussi un facteur déterminant ; si la pièce est pourvue de petites fenêtres, il sera possible de créer plus de clarté en utilisant des couleurs pâles et réfléchissantes.

Dans ce livre, nous espérons stimuler votre intérêt pour les couleurs et leurs associations. La partie de l'ouvrage, qui traite des couleurs, est divisée en plusieurs chapitres correspondant aux couleurs fondamentales. Nous avons choisi des photographies pour illustrer dans chacune d'elles la gamme disponible à l'intérieur de la couleur et pour vous suggérer des mélanges dont vous n'auriez peut-être pas eu l'idée. Nous avons essayé de montrer comment les couleurs s'associent et comment leur combinaison peut créer un intérieur sobre ou somptueux. Le chapitre sur les palettes décrit l'évolution de certains groupes de couleurs dans diverses parties du monde, en fonction du climat, de la culture, de l'histoire ou de la géographie. Les relations entre les couleurs de chaque groupe, leur intensité et les différentes valeurs tonales qu'elles revêtent, influencent la création d'atmosphères bien particulières. Ces couleurs pourront être employées pour votre intérieur, ou vous inspirer de nouvelles idées.

En matière de peinture, un bon mélange de couleurs est la clef de la réussite d'un intérieur et les lois fondamentales, développées dans un chapitre à la fin de cet ouvrage, sont vraiment très simples. Nombreux sont ceux qui, en essayant de préparer une couleur, finissent par avoir une grande quantité d'une peinture qui ne les satisfait pas. Or, il est possible de faire son propre mélange, en utilisant les « recettes » que nous indiquons ; ces pages peuvent également servir à acquérir les connaissances nécessaires afin d'obtenir de votre fournisseur les couleurs exactes souhaitées.

Pour finir, il ne saurait y avoir de règles définitives pour le mélange et l'emploi des couleurs, mais nous espérons que, grâce à nos indications, vos travaux de décoration ne seront plus uniquement le fait du hasard, mais une création et un plaisir.

LES COULEURS

Jaune

JAUNE ACIDE

Le jaune acide, clair, puissant et lumineux se trouve par exemple dans l'éclat du jasmin d'hiver ou de la fleur du mimosa.

Cette couleur n'a pas un long passé dans l'histoire de la décoration. Il fut longtemps impossible de créer un jaune vif à partir de l'ocre jaune, même en y mélangeant du jaune organique. Il fallut attendre les années 1820 et la fabrication du jaune de chrome à des prix accessibles, pour qu'un jaune clair et brillant apparût dans la palette du décorateur d'intérieur.

Le jaune citron clair fut populaire sous l'Empire, période à laquelle on le faisait contraster avec le violet améthyste ; à la fin du XIXe siècle, il était souvent associé avec le vert. Sa popularité continua dans les années vingt et trente, ainsi que dans les années cinquante, pour les tissus, associée au blanc, au noir et au gris.

Ce jaune a son complément dans le mauve et le violet, mais il est préférable de n'employer qu'une trace de la complémentaire et de laisser le jaune prédominer. Les gris pâles et les gris-bleu se marient particulièrement bien avec le jaune froid, et le blanc est toujours utilisable pour le compenser et l'équilibrer. Cette couleur fait également beaucoup d'effet lorsqu'elle est associée avec différents bleus à tonalité chaude.

Ci-contre : la maison de Monet, à Giverny, a été repeinte selon les couleurs d'origine. La salle à manger jaune — à côté de la cuisine bleue — est la pièce centrale de la maison. Elle est peinte en deux tons de jaune froid, équilibrés par les bleus brillants des tissus et de la vaisselle.

Page de droite : le vaste salon de la maison de Sir John Soane, à Londres, a été restauré dans son décor des années 1830, avec ses peintures, ses rideaux et ses garnitures jaunes. C'est l'un des premiers ensembles que nous connaissons pour lequel les tissus et les peintures ont été délibérément coordonnés. À l'origine, la couleur des murs a été obtenue à partir de jaune clair, verni ensuite pour lui donner de la stabilité. Le jaune des murs actuel est un mélange de jaune de chrome avec de la peinture à l'huile blanche, recouvert d'une mince couche de vernis clair transparent semi-brillant. Le plafond a été peint en blanc cassé, que le reflet des murs jaunes rend presque crème. Les fins liserés de soie rouge des rideaux, le passepoil rouge du sofa et les touches de noir structurent les lignes élégantes de la pièce. Le rouge est un rouge chaud, non une garance. Malgré la force des couleurs employées, la pièce garde une atmosphère claire, propice à la méditation.

EAST.
SOUTH.

Le jaune acide peut aussi être associé aux couleurs qui l'entourent dans le spectre : les verts, les jaunes et rouges plus chauds. De nombreux tissus très appréciés présentent cette harmonie de couleurs.

Sous sa forme la plus saturée, le jaune froid peut sembler dur, presque métallique ; il s'harmonise alors bien avec des intérieurs modernes, où on l'emploiera avec le plastique noir, le chrome et les surfaces brillantes, et d'autres couleurs lumineuses.

Les jaunes à tonalité froide peuvent être mélangés avec du jaune de chrome ou de cadmium.

Page de gauche : à Charleston, en Grande-Bretagne, dans l'ancienne maison de Vanessa Bell et Duncan Grant, les rideaux et la cantonnière sont coupés dans du tissu « aux raisins », dessiné en 1931 par Duncan Grant et récemment repris par Laura Ashley. Les murs de la pièce avaient été laissés nus jusqu'en 1945 ; l'actuel motif au pochoir a probablement été dessiné par Vanessa Bell, puis peint avec Duncan Grant. Les couleurs s'harmonisent très bien. Le jaune citron clair des rideaux et des volets intérieurs contraste avec les gris des murs, mais partage avec eux une nuance de jaune froid. Le brun léger du meuble peint, des feuilles et du violon se marie harmonieusement avec les autres couleurs et ajoute une note de chaleur à la pièce.

Ci-contre : la couleur des murs et la moquette à motifs de cette élégante chambre à coucher ont en commun la même nuance sous-jacente de jaune froid. Le blanc adouci du jeté de table rafraîchit et anime le jaune ; le gris-bleu des tableaux « néo-classiques », du nœud de tissu et des garnitures de chaises à large bande ajoutent un contraste discret. De petites touches de rouge dans le coussin et les abat-jour, les notes raffinées de noir et d'or complètent l'ensemble.

Ci-dessus : dans la salle à manger-cuisine d'un entrepôt transformé, à Melbourne, en Australie, l'association du jaune et du gris est très réussie. Les murs et le plafond sont peints de couleur crème et le sol est recouvert de vinyle d'un gris léger. Les surfaces en stratifié jaune citron brillant et gris sombre ajoutent des touches lumineuses à l'ensemble.

Ci-contre : cet atelier d'artiste est une école de danse du siècle dernier transformée. Les murs sont peints en jaune froid, sur lequel le mobilier et les tableaux se détachent nettement. Le blanc éclatant du sol et du plafond peints rivalise avec la tonalité du jaune et accentue les effets de clarté et de lumière dans la pièce.

Page de droite : un créateur de tissus suédois a mélangé ici les couleurs et les périodes avec un goût éclectique et très sûr. Un élégant sofa gustavien voisine avec des céramiques des années quarante, une table en teck et un lampadaire des années cinquante. Les murs peints en jaune offrent une toile de fond de tonalité légère pour les couleurs plus fortes — noir, vermillon, bleu primaire, turquoise et vert-jaune. Aucune nuance assourdie ou pastel n'a été utilisée.

JAUNE À TONALITÉ CHAUDE

Le jaune à tonalité chaude évoque la couleur des boutons d'or, des tournesols, parfois de l'ambre, dans ses nuances les plus sombres. C'est une teinte agréablement dorée, un jaune avec une touche de rouge.

Tandis que les jaunes purs éclatants dérivent du chrome et du cadmium, les tons plus sombres sont obtenus à partir des ocres jaunes, qui produisent une couleur chaude et dorée. Ce jaune est une couleur traditionnelle dans la décoration, et figure dans la palette des décorateurs depuis les temps les plus anciens. Son emploi à la période classique a assuré sa popularité dans les intérieurs néo-classiques de la fin du XVIIIe siècle.

Parmi les jaunes à tonalité chaude, la vivacité des plus lumineux sera choisie pour

Page de gauche : ce salon londonien fut naguère la demeure de Nancy Lancaster, propriétaire de Colefax & Fowler, *célèbre société d'architecture d'intérieur. Il illustre son usage imaginatif des couleurs et un sens du style, caractéristiques de son partenaire John Fowler. L'accent a été mis sur le jaune plutôt que sur le crème, ce qui, dans les années cinquante — époque de la réalisation de la décoration —, fut considéré comme une innovation capitale. Les murs étaient peints en jaune orangé satiné, ce qui donne une impression d'espace et de lumière, et résume le style anglais. La pièce semble toujours ensoleillée, même les jours sombres. Le plafond a été peint de trois tons de beige délicats et les doubles rideaux de soie ont été réalisés en deux nuances de jaune d'or. Des touches de jaune citron, de souci, de rouge et de turquoise sont apportées par les garnitures du mobilier. Le fond jaune du tapis ukrainien complète l'ensemble.*

Ci-contre : le salon de Sir John Soane a inspiré cette association de couleurs. Un glacis jaune de cadmium brillant a été passé sur un blanc coquille d'œuf pour créer cet aspect chaud et lumineux. Le plafond et les lambris ont été peints en blanc cassé mêlé de terre de Sienne. Les frises fines — visibles derrière le fauteuil et au-dessus de la bibliothèque —, peintes d'un rouge profond, donnent une unité à l'ensemble et rappellent les rouges et les roses des tissus.

des intérieurs sophistiqués ; en effet, ces nuances accentuent la luminosité et gagnent à être utilisées dans les grandes pièces et les espaces ouverts.

Le jaune à tonalité chaude convient tout à fait aux murs, car il s'équilibre parfaitement avec un plafond et des plinthes blancs. Il se combine efficacement avec des ornements, des tableaux, des tissus à motifs imprimés et des couleurs fortes et riches : rouges sombres, bleus, verts et noirs. Même le turquoise peut éventuellement convenir, quoique le contraste avec sa complémentaire — le pourpre bleuté — puisse parfois paraître trop violent. Des résultats intéressants et plus mesurés pourront être obtenus en mariant ces jaunes à des couleurs plus neutres ou plus froides comme le gris de gris, le brun clair, le vert céladon, le bleu lavande ou un délicat gris-bleu. Avec une finition en glacis, des couleurs sombres ou du bois, le jaune à tonalité chaude peut paraître brillant, clair et éclatant.

Plus assourdi ou plus profond, ce jaune s'adapte bien aux petites pièces, auxquelles il donne de la profondeur.

Ci-dessus : toutes les couleurs de cette pièce sont chaudes, du jaune d'œuf des murs au rouge des motifs de la toile de Jouy. Du blanc cassé a été utilisé pour les harmoniser. La teinte des murs a été obtenue en passant une mince couche de peinture à l'eau de couleur caramel sur une couche de jaune pâle cendré.

Ci-contre : un jaune orangé sert de couleur principale dans ce salon d'artiste, où un tissu légèrement brillant, de la même couleur que les murs, recouvre le sofa élégant de style Empire. Les rideaux vert sombre et le rouge des tapis créent le contraste.

Page de droite : les murs sont peints d'un jaune brillant et profond, obtenu par un mélange de terre de Sienne naturelle et d'ocre jaune passé au rouleau, à l'éponge et au pinceau sur une base d'impression blanche. La couleur crée une atmosphère confortable. Le rouge fané et les dorures des chaises et des fauteuils, ainsi que les touches de noir ajoutent une richesse équilibrée par la simplicité du tissu de coton des rideaux.

Ci-dessous : cette vaste cuisine ensoleillée, aménagée dans un ancien presbytère du XVIIIe siècle, rayonne de chaleur. La lumière qui vient du jardin donne des tonalités chaudes aux carreaux de céramique du sol et de riches nuances au mobilier de frêne. Les murs ont été badigeonnés d'un glacis ocre jaune, au-dessus de lambris vert olive. Des triglyphes, exécutés au pochoir, et des médaillons de terre cuite soulignent le thème néo-classique de la pièce.

Page de gauche : cette chambre a été décorée par l'artiste suédois Carl Larsson pour sa bonne. Les murs peints d'un jaune chaleureux sont bordés par une large frise naïve à fond vert-bleu et une fine moulure orangé sombre. Ces couleurs fortes sont atténuées par le plafond et le baldaquin blancs, la peinture gris pâle du lit. La carpette rustique mêle des bandes de vert, d'orangé sombre et de bleu sombre.

Ci-dessus : les couleurs et les tissus africains ont inspiré la décoration de cette pièce. Les murs d'un jaune doux, les nattes en fibre de noix de coco et le mobilier en bois naturel reprennent les couleurs chaudes que l'on associe généralement au paysage africain. Cela forme un contraste agréable avec les couleurs brillantes, les motifs et les textures des tissus et tentures, car il n'y a ni couleur artificielle ni couleur primaire.

JAUNE PÂLE

Cette couleur peut évoquer le beurre ou la fraîcheur de la primevère. Le jaune pâle — version plus claire des couleurs utilisées dans les maisons de style Empire ou Régence — fut populaire dans les intérieurs américains de la fin du XVIIIe et du début du XIXe siècle.

Le jaune légèrement verdâtre de la primevère se marie bien avec les diverses nuances et teintes de sa complémentaire, le pourpre rougeoyant, et cette association donne de la vie et de la chaleur à la décoration intérieure. Employé avec des bleus, des gris et des blancs froids, le jaune pâle paraît doux et chaud. Des teintes plus chaudes, qui peuvent être préparées à partir d'ocre jaune, donneront plus de clarté si on les associe à des bruns et des noirs. Le jaune pâle est généralement obtenu à partir de jaune de chrome ou de cadmium, auquel on ajoute un peu de blanc.

***Ci-dessus :** cet arrangement simple repose plus sur le jeu des couleurs que sur la beauté des éléments décoratifs. Les jaunes clairs éclairent ce rez-de-chaussée sombre et les couleurs franches du tapis rustique, qui comportent du violet, la vraie couleur complémentaire du jaune, ajoutent du piquant à l'ensemble. Les coussins et le bouquet de fleurs introduisent quelques touches de violet et de mauve.*

***Ci-contre :** la propriétaire de cette ferme a mélangé de la poudre de peinture marocaine couleur lilas à du lait et a passé ce mélange sur le fond blanc des murs de sa salle de séjour, ce qui donne une couleur douce proche de celle de la craie, complément agréable du jaune doux du placard, près de la cheminée.*

***Page de droite :** cette belle harmonie de couleurs — composée de jaune, d'or et de terre brûlée — est enrichie par des touches de rouge et de brun chauds. Le bouquet de delphiniums et le vase de Chine bleu et blanc ajoutent quelques notes de couleur contrastées dans cette maison de la vallée de l'Hudson.*

ROMANTIC ART

JAUNE ÉTEINT

Ci-dessous : dans le vestibule de cette maison de Grande-Canarie, les murs de plâtre ont été peints en trompe-l'œil pour simuler des blocs de pierre légèrement descellés, grâce à diverses combinaisons d'ocre, de terre d'ombre et de blancs. La couleur terre verte (peinture à l'huile demi-mate) de la porte s'harmonise avec les tons miel des murs. L'effet de trompe-l'œil se prolonge avec la plinthe, peinte en gris pour imiter la pierre.

Peu exigeante et très reposante pour l'œil, cette couleur est obtenue à partir de pigments naturels — ocre et terre de Sienne — qui se trouvent dans les argiles et les sables de nombreuses régions du monde. Ils ont toujours été faciles à obtenir et bon marché, et ont donc été largement utilisés au cours de l'histoire en peinture et en décoration. Les ocres ont toujours été les jaunes des palettes traditionnelles, aussi populaires en Afrique et en Scandinavie qu'en Italie et en Provence. Ils donnent aux intérieurs chaleur et douceur.

Le jaune sera accentué si on le juxtapose à des gris et des bleus froids et paraîtra plus neutre à côté d'autres couleurs chaudes et naturelles.

On obtiendra le jaune éteint à partir de l'ocre jaune ou de la terre de Sienne naturelle en y mélangeant du blanc ; on ajoutera éventuellement de la terre d'ombre pour assourdir davantage la couleur.

Ci-dessus : l'Assyrie a fourni le thème d'inspiration de la décoration de cette pièce, mais les couleurs employées seraient tout aussi belles dans n'importe quel contexte. L'ocre jaune, la terre de Sienne naturelle et des pigments terre d'ombre ont été utilisés pour colorer de l'enduit acrylique blanc, appliqué en six couches successives sur le plâtre préexistant. Chacune des couches a été poncée avant l'application de la suivante, comme pour la préparation d'une peinture murale en Italie. Enfin, les murs ont été passés au vernis incolore pour préserver leur texture et leur couleur délicates. La frise à l'ocre brune souligne les murs et donne une unité à l'ensemble de la pièce.

Ci-contre : dans l'arrière-cuisine de la maison de Christophe Gollut, en Grande-Canarie, le bleu turquoise du placard d'angle forme un vif contraste avec le jaune moutarde éteint des murs grossièrement enduits.

ORANGE

Les couleurs orange et jaune orangé présentées ici évoquent les teintes pâles de la pêche, de l'abricot et du melon jusqu'aux tons les plus chauds et les plus riches du fruit auquel elles empruntent leur nom.

Le jaune orangé pâle et l'orange profond ont été populaires dans le design et les tissus Art nouveau et Art déco, ainsi que dans les intérieurs des années soixante. Couleurs chaudes, les orangés ont besoin de couleurs froides pour les équilibrer et les contraster, comme la plupart des verts et des bleus froids. Le bleu est la vraie complémentaire.

Le jaune orangé pourra être préparé à partir de couleurs intenses comme le jaune de cadmium, avec un peu de rouge de cadmium, mais l'effet obtenu peut être trop chaud et trop violent ; si l'on ajoute du blanc, on risque d'obtenir un abricot trop doux et peu attrayant. La solution est de préparer ces couleurs à partir d'une base comme la terre de Sienne brûlée ou le rouge clair, à laquelle on ajoutera une pointe de jaune de cadmium ou d'ocre jaune pour obtenir des orangés chauds. L'addition de blanc adoucit la couleur et permet d'obtenir des nuances qui vont du melon à l'abricot.

Ci-dessus : la nature fournit ici l'inspiration ; les couleurs orange, ocre jaune et vert-jaune de ce bouquet sec peuvent être le point de départ d'une belle harmonie.

Ci-contre : on peut utiliser une couleur unique pour toute une pièce, dans le but de créer une atmosphère apaisante et harmonieuse. Ici, les murs d'un orange-jaune pâle offrent un arrière-plan au sofa, légèrement plus brun, et aux rideaux de soie, mais aussi un contraste saisissant avec le grand tableau sombre. Les détails fins et délicats des coussins et de la bordure du sofa ajoutent des nuances et de la variété aux tissus, aux tonalités et aux motifs.

Page de gauche : la couleur orangée du papier mural donne de la chaleur au vaste vestibule de cette maison de campagne. La couleur réfléchit bien la lumière et permet d'éviter que cette zone, qui peut être assez sombre durant la journée, ne devienne triste. Le brun chocolat des encadrements de panneaux structure l'espace. La rampe d'escalier blanche ressort nettement sur les différentes nuances de gris des dalles de pierre polies datant du XVIIIe siècle.

Ci-dessus : on peut introduire des touches d'orange dans une harmonie de couleurs grâce à des tissus attrayants comme ceux-ci.

Ci-contre : l'usage audacieux d'un jaune orangé profond dans l'entrée de cette maison, naguère propriété de Carl Larsson, crée un espace à la fois chaud et accueillant. La richesse de l'orange est compensée par un vert froid ; le blanc de l'encadrement de la porte et de l'étagère d'angle forme un net contraste et donne une unité à cet arrangement en le préservant de tout excès.

Page de droite : inspirés par les cabinets d'estampes du XVIIIe siècle, des encadrements imprimés noir et blanc, des trophées et des rubans ont été soigneusement découpés et collés pour former une collection de motifs et de dessins à la plume. Contrairement à la tradition, un orange chaud a été employé comme couleur de fond et transforme un réduit obscur en une pièce agréable. Le vernis protecteur sur les murs a un léger reflet jaune.

Rouge

ROUGE-BRUN

Les rouge-brun sont des couleurs naturelles et réconfortantes, discrètement présentes dans de nombreux intérieurs sous forme de bois polis, de carreaux en céramique ou de vases en terre cuite, plutôt que comme couleur murale ou de tissus.

Ces couleurs se marient bien avec toutes les nuances de rouge chaud, avec d'autres pigments naturels comme l'ocre jaune et les terre d'ombre, ainsi qu'avec les bleus et les verts. Employés en différents tons, ils donneront le meilleur effet avec la même gradation de bleus, du bleu léger au bleu vif. Les Égyptiens étaient les maîtres dans ce domaine et leurs fresques sont parmi les meilleures sources d'inspiration. L'usage répandu de ces couleurs durant la période classique les mit à la mode chez les architectes et les décorateurs néo-classiques. Ceux de l'époque victorienne associaient des carreaux rouge-brun avec du crème, du noir et du bleu moyen, harmonie parfois reprise sur les murs, les peintures et les tissus.

Ci-contre : cette simple niche peinte en rouge-brun profond est idéale pour exposer des porcelaines de Delft et un bouquet de phlox, de delphinium et de bleuets.

Ci-dessus : les rouge-orange, les brun-rouge et les bleus froids, couleurs de l'ancienne Égypte, peuvent inspirer la décoration d'un intérieur. Traditionnellement, les Égyptiens utilisaient du charbon de bois pour représenter les cheveux, du lait de chaux pour les habits, des ocres jaunes et ocres rouges pour le corps des hommes et des animaux ; les pigments verts et bleus étaient obtenus à partir de minéraux comme la malachite et l'azurite. L'équilibre et l'harmonie de ces couleurs sont illustrés dans cette fresque du XVe siècle avant Jésus-Christ, de la tombe de Nebamon près de Thèbes.

Page de droite : le grand poêle en briques recouvertes de faïence émaillée forme le point de mire du salon d'un manoir finlandais du XVIIIe siècle, meublé en style Biedermeier. La couleur brun-rouge des carreaux émaillés est reprise par les tons des deux chaises et équlibrée par le bleu intense de la détrempe passée sur les murs. Le parquet de bois naturel et le plafond blanc neutralisent les couleurs fortes alors qu'une frise peinte donne de l'unité à la pièce. Le papier peint français panoramique des années 1830 illustre l'activité intense du port de Marseille.

ROUGE ORANGÉ

Les couleurs rouge-orange sont des couleurs de terre apaisantes, intenses sans être agressives. Elles n'ont ni la violence du rouge ni l'exubérance de l'orange mais irradient la chaleur de toutes les tonalités du corail.

La couleur a connu une grande vogue au début du XIXe siècle, à la suite de la découverte des peintures murales de Pompéi. On l'employa alors souvent en tonalités mates pour les murs des salons.

Les couleurs rouge-orange dérivent originellement de terres rouges et d'ocres jaunes brûlés, oxydes de fer qui se trouvent dans le monde entier à l'état naturel. Les pigments, très stables, ont toujours été facilement accessibles et peu chers.

Le rouge-brun s'harmonise bien avec cette nuance de rouge, de même que le rouge pâle à tonalité chaude et le noir. Si le rouge tire vers l'orange, il trouvera son complément dans le bleu turquoise : s'il tire vers l'écarlate, ce sera dans le vert.

Ci-dessus : John Britton écrivait en 1827 que la bibliothèque et la salle à manger de Sir John Soane avaient été peintes « d'un rouge profond, imitant la couleur des murs d'Herculanum et de Pompéi ».

Les détails de la décoration de la pièce ont une finition de couleur vieux bronze : cet effet est obtenu en pulvérisant de la poudre de bronze sur un fond de laque verte. On suppose que cette technique, souvent utilisée par Soane et ses contemporains, était aussi employée à Rome.

Ci-contre : l'ancien atelier de l'artiste Augustus John a été transformé par ses actuels propriétaires, originaires du Proche-Orient. Les somptueux motifs rouge-orange, terre cuite et rouge sont rehaussés par des touches de bleu d'azur et de turquoise.

Ci-dessus : dans ce projet du XIXe siècle pour le plafond d'une maison française, le rouge orangé est combiné avec du vert et des couleurs neutres.

Ci-contre : les couleurs de la salle à manger de Carl Larsson sont semblables — quoiqu'un peu plus jaunes — à celles employées par Sir John Soane quelque soixante-dix ans plus tôt ; seul le vert n'a pas été additionné de poudre de bronze, mais laissé tel quel. Le rouge orangé, par sa chaleur, était une couleur recommandée pour les salles à manger ; le vert est sa complémentaire naturelle. La chaise isolée a été peinte dans un ton plus sombre de rouge orangé tirant sur le rouge-brun sombre. Cette couleur est reprise dans le tissu d'ameublement. Lorsque la pièce fut décorée, dans les années 1890, les couleurs et leur combinaison furent le sujet de vives controverses.

Ci-contre : les rapports du rouge orangé et du bleu-vert produisent des effets saisissants dans la décoration intérieure, comme on peut le voir sur cette vue d'une maison de Marrakech. Les murs sont peints de rose-orange pâle, couleur parfaitement équilibrée par les tons bleu-vert de la porte, des arcatures en bois et du placard. Un sol de couleur rose froid complète l'harmonie.

Page de droite : dans la bibliothèque de l'ancienne demeure de Vanessa Bell et Duncan Grant, en Grande-Bretagne, les couleurs corail lumineuses, rouge-orange et brun-rouge créent une atmosphère harmonieuse et accueillante. Le rose-orange pâle des panneaux de bois de la fenêtre — peints par Duncan Grant — est repris par les tons des kilims, des reliures des livres et des bibliothèques. Ces couleurs sont équilibrées par le vert complémentaire des bois de chaises de la fin du XVIIIe siècle et par les touches de bleu, de vert et de bleu-vert disséminées dans la pièce. Le tissu rose pâle des chaises et le blanc du plafond et de la plinthe créent un contraste frais et lumineux.

ROSE PÂLE

Ces roses ont les couleurs de l'enduit frais et de l'intérieur des conques marines et vont de l'orangé au brun pâle. Ce sont des couleurs douces et naturelles, parfaites pour des maisons rustiques et confortables qu'on utilise beaucoup pour couvrir de grandes surfaces car, en petites touches, elles risquent d'être atténuées au profit d'autres couleurs.

Les complémentaires de ces roses sont les vert-bleu, mais ils s'harmonisent également avec la plupart des autres couleurs pâles naturelles, et toutes les nuances de rouge chaud. Pour animer la composition, on peut ajouter une touche de garance ou d'orange.

Ci-dessus : ces murs ont été enduits d'un rose pâle traditionnel, qui se marie bien avec le vert sombre des boiseries. Pour accentuer la couleur et la texture, la dernière couche d'enduit a été appliquée avec une taloche en bois et non en métal.

Ci-contre : dans cette maison du XVIIIe siècle, située dans la région de l'Algarve au Portugal, l'espace réservé à la piscine montre bien que chaleur et élégance peuvent être obtenues en utilisant des roses pâles sur des textures et des surfaces différentes. L'oxyde de fer a servi de base pour le badigeon passé sur les murs ; un mélange plus intense a été utilisé pour le cadre de la Madone siennoise du XVe siècle incrustée dans le mur. Les deux sièges simples sont de style ancien local ; le sol est recouvert de carreaux d'argile fabriqués dans la région et appelés ladrilhos.

Page de gauche : les propriétaires de cette ferme restaurée du Yorkshire voulaient donner à leurs murs la couleur de l'enduit frais. Ils ont eu du mal à l'obtenir ; à partir d'un rose pâle neutre, ils ont ajouté du jaune jusqu'à obtenir une nuance subtile entre le rose et le jaune. Ce ton se retrouve dans d'autres endroits de la maison ; il met en valeur les bois anciens et est très reposant pour les yeux.

Page de gauche : la cuisine de cette maison, située à Salem dans le Massachusetts, a retrouvé récemment ses couleurs originelles du XIXe siècle. Le rose-brun pâle des murs — jadis détrempe, aujourd'hui peinture à l'huile — est rappelé dans le rouge brique profond des chaises, qui ont gardé leurs moulures jaune brillant ; il est équilibré par les boiseries vert clair. L'atmosphère légère de la pièce est accentuée par le plancher de pin brut.

Ci-dessus : des tons roses, moutarde, bruns et blancs sont les couleurs principales de ce salon. Un tissu de coton simple a été choisi pour les rideaux très élaborés, mais aussi pour le revêtement des murs ; il offre un fond simple sur lequel se détachent les tableaux et les objets exposés. Les hortensias séchés ajoutent leurs notes de feuille-morte, de mauve et de garance ; le gypsophile forme une mousse de blanc rosé. La peinture blanche, la pierre et les vases de porcelaine donnent de la fraîcheur à la pièce, alors que le siège jaune apporte la touche de rigueur nécessaire. La moquette à motifs géométriques, avec sa bordure brun sombre, unifie l'ensemble.

VIEUX ROSE

Ces roses assourdis — parfois assombris et intensifiés par l'addition de brun — réchauffent une pièce : ce sont des couleurs fréquentes dans les intérieurs rustiques, quand on peut les mélanger avec de l'enduit, du badigeon de chaux, ou de la peinture. Elles conviennent bien aux zones sombres, où un rose plus pâle pourrait paraître délavé.

Ces roses s'harmonisent avec un grand nombre de complémentaires, vert-bleu et vert-jaune, ainsi qu'avec les teintes proches des rouges et des bruns.

On peut les préparer en mélangeant un peu de blanc à une ocre rouge teintée d'orange. On peut aussi ajouter une touche de terre d'ombre naturelle ou brûlée pour obtenir une nuance plus brune et plus « sale », ou étendre un fin glacis ocre rouge sur un fond blanc : le résultat paraîtra rose.

Ci-dessus : ce placard a été recouvert d'un glacis rouge doux, passé sur un fond vert-gris sombre. La couleur du fond reste visible, ce qui donne à l'ensemble richesse et profondeur. Les moulures peintes en ocre jaune éteint structurent le décor. À l'intérieur du placard, un papier à petits motifs offre un fond neutre pour les bols de céladon et les assiettes de porcelaine chinoise.

Ci-contre : la chambre à coucher de cette maison de campagne est accueillante grâce à son harmonie audacieuse de blanc et de rose franc et doux. De petites touches de vert, de vert-bleu, de garance et de noir donnent une unité et de l'éclat à cette composition.

Ci-dessous : la simplicité de cette chambre à coucher française du XVIIIe siècle a été obtenue par un souci du détail soigneusement calculé. Quatre couleurs sont utilisées : garance, blanc, brun et rose. Un papier rose à petits motifs donne à la pièce sa couleur principale. Il s'agit d'un rose-brun sombre, éclairé par le blanc des motifs. Du feutre rouge foncé est tendu entre les poutres et donne de la chaleur à la chambre ; la teinte est reprise dans les garnitures des rideaux de la fenêtre et du lit, les draps et les motifs de la céramique. Les rideaux de mousseline blanche diffusent la lumière et les boiseries polies fournissent le cadre brun qui met en valeur les autres couleurs et matières de la pièce.

Ci-dessus : le rose-brun adouci est un excellent fond pour les bruns et les rouges puissants. Ici, le brun sous-jacent dans la couleur mate des murs est repris par la couleur chocolat sombre des rideaux, du cadre du tableau et de la table en marbre. Le rouge orangé qui apparaît dans ce rose à tonalité chaude trouve sa réplique dans les couleurs de l'abat-jour et du pied de la lampe, comme dans celles du tableau. Quelques touches vertes ajoutent une nuance de couleur complémentaire à cette harmonie.

ÉCARLATE

Le rouge le plus brillant que l'on trouve à l'état naturel — sans aucune trace de bleu — est l'écarlate, vivante et très intéressante pour la décoration d'intérieur. C'est une couleur ancienne — celle des pigments de vermillon et de minium, et de la cochenille tinctoriale —, qui fut jadis onéreuse et luxueuse, plus souvent employée par les artistes que par les décorateurs d'intérieur. Facilement accessible aujourd'hui, elle est associée à des intérieurs rustiques, couettes rouges et autres tissus Vichy, en raison de sa chaleur et de son côté « naïf ».

Que vous recherchiez le luxe ou la simplicité, ce rouge fera de l'effet sur de petites surfaces. Comme l'écrivait Basil Ionidès en 1926 : « L'écarlate sauvera une pièce blanche, crème ou brun terne de l'affadissement plus vite que n'importe quelle autre couleur. Un liseré écarlate autour des panneaux et sur les moulures, des nuances de cette couleur sur des coussins et, bien sûr, des embrasses de rideaux de même coloris feront un excellent effet. »

Le rouge et le blanc forment une association efficace, animée par des touches de bleu et de vert brillants, ou de noir et de doré. La plupart des bleus se marient bien avec le rouge, mais le bleu marine, les bleu-vert froids et les gris-bleu créent généralement une harmonie plus séduisante.

Ci-dessus : cette miniature éclatante d'un manuscrit irakien du XIVe siècle, qui représente l'archange Gabriel, mêle l'écarlate à des tons assourdis de brun et de lavande.

Ci-contre : une nappe écarlate contraste fortement avec les pétales de fleurs de couleur magenta, dans cette salle à manger de maison mexicaine. La chaleur du bois naturel et les couleurs douces des murs enduits atténuent la sévérité des lignes du mobilier.

Ci-dessus : ici, la juxtaposition précise du rouge et du blanc s'enrichit de détails soigneux. Le lambrequin délicatement crocheté de cette fenêtre de ferme relie la boiserie rouge à l'enduit blanc de surface inégale. Les feuilles vertes des tulipes offrent un éclat contrasté.

Ci-contre : les rouges vibrants prédominent dans ce salon. L'écarlate de la porte et des murs du couloir a été réalisée en recouvrant un fond de peinture à l'huile rose saumon de deux couches de glacis rose. Le rouge se prolonge dans les deux tons puissants du tartan du sofa et par la bande rouge de la moquette. Sur les murs du salon, le glacis de couleur ocre jaune offre un fond à la fois neutre et chaud.

ROUGE À TONALITÉ FROIDE

Ce rouge, qui contient du bleu, comporte les nuances framboise et cerise. Le carmin est la couleur du pigment organique dérivé de la cochenille. Comme l'écarlate, c'est une couleur ancienne, jadis très coûteuse.

Les pigments de laque carmin, mélangés à diverses quantités de blanc et de bleu, servirent probablement de base à la plupart des rouges, des roses et des pourpres à tonalité froide utilisés pour décorer les demeures luxueuses jusqu'à la synthèse du mauve, du magenta et de la garance entre 1856 et 1860.

Ces rouges peuvent paraître durs et sans relief. Bien utilisés, ils sont en fait riches et pleins de vie.

Leur complémentaire est un vert-jaune. Ce contraste peut paraître agressif, sauf si le vert est légèrement atténué. Les nuances sombres des rouges à tonalité froide sont plus pourprées que brunes ; les tons clairs et les tons sombres s'harmonisent bien.

Des taches de couleur garance se marieront également avec du violet ; le jaune et l'orange à tonalité chaude feront ressortir sa composante bleue. Le bleu, en revanche, le fera paraître plus orange.

Voici trois associations de rouge froid et de vert : dans la pièce claire et fraîche, ***ci-dessus****, les couleurs ont été atténuées pour adoucir le contraste. Dans l'entrée d'un restaurant londonien (****ci-contre****), elles sont beaucoup plus intenses mais l'effet est saisissant sans être agressif : le vert moyen de la peinture est saturé, mais le rouge du tissu mural est légèrement assourdi, adouci de surcroît par sa texture moirée et les motifs dorés de médaillon. Enfin, dans la chambre à coucher du XVIIIe siècle (****page de droite****), la peinture originale d'un vert-gris-bleu profond équilibre le couvre-lit éclatant.*

ROUGE PROFOND

Le rouge profond est la couleur du grenat et de certaines cerises ; c'est le plus riche de tous les rouges.

Préparé à partir de la garance, ce fut une couleur coûteuse jusqu'à la synthèse de l'alizarine en 1868. Les décorateurs mélangèrent ensuite de la garance avec de la terre de Sienne brûlée et du bleu pour obtenir un rouge-bordeaux profond. Au début de la période victorienne, la couleur fut souvent mélangée à des bleus profonds et des bruns chocolat. De nos jours, on préfère le rouge profond sous une apparence plus éclatante, apparentée à l'ancienne laque rouge.

Couleur fascinante et changeante avec des tonalités qui peuvent paraître chaudes ou froides, elle convient très bien comme peinture murale, ou mélangée à d'autres couleurs ou motifs très éclatants. Sa complémentaire est le vert olive. Ce rouge est très utilisé pour les salles à manger ou les pièces de réception car la lumière artificielle met en valeur sa chaleur. C'est aussi une couleur complexe qui bénéficie de l'addition d'autres pigments, et qui n'est pas difficile à mélanger. Un peu de terre de Sienne ou de terre d'ombre brûlée accentuera son aspect brun et terreux ; la terre d'ombre naturelle la vieillira alors que l'outremer la fera paraître plus froide et plus violette.

***Page de gauche :** cette association éclectique de tissus et d'objets orientaux a été inspirée par un voyage à Katmandou et dans l'Inde du Nord. La couleur unifie cette profusion d'objets fascinants. La couleur unie de la commode forme un point de mire important dans une pièce où toutes les surfaces — y compris celle du plafond — sont couvertes d'éléments à motifs chargés.*

***Ci-dessus :** cette salle à manger d'une maison de campagne équilibre le blanc ivoire et le rouge profond. Mal éclairée dans la journée, la pièce reste cependant toujours chaude et accueillante, surtout la nuit. Les teintes orange brûlé et brunes du tapis, le vermillon du fauteuil et le tissu de cachemire brun qui recouvre la table illustrent le mélange délicat des couleurs de cette pièce.*

Pour obtenir une couleur et une finition semblables sur vos murs, appliquez un fond de couleur rouge brillant, en seconde couche un glacis rouge profond soigneusement mélangé et une couche finale de vernis mat teinté de terre d'ombre brûlée.

***Ci-contre :** les murs de cette bibliothèque sont couverts de livres, à l'exception de la zone située au-dessus de la cheminée. Le velours de soie tendu à cet endroit provient d'une robe de soirée du siècle dernier. Le tissu capte la lumière et offre une toile de fond animée pour le tableau et les objets disposés sur la cheminée. L'atmosphère est celle de l'intimité et de la détente.*

Page de gauche : pour les murs de la salle de séjour d'une grande ferme, on a préféré les tissus anciens à la peinture pour donner à la pièce sa tonalité. Les textures de la peluche et du velours ajoutent de la chaleur et de la richesse aux rouges pourprés et bruns. L'enduit rustique des murs et les tapis de sisal offrent un fond frais et neutre. Le vert sombre ajoute une note vivante de contraste ; le noir et le doré complètent l'harmonie de couleurs.

Le coffre est recouvert d'un luxueux velours rouge, le sofa d'un chintz victorien et le vaste fauteuil, contre la fenêtre, d'un brocard français. Les deux autres fauteuils et le long repose-pieds sont tendus de velours frappé.

Ci-dessus à gauche : les panneaux de cette salle à manger de Manhattan ont été peints de laque rouge sombre, puis passés à l'éponge. La moquette brun-pourpre fait ressortir le rouge intense des dessous-de-bouteille, des bougies et du passepoil des chaises qui donnent des éclats lumineux. Une deuxième couleur — un brun-jaune de tonalité chaude — a été utilisée pour recouvrir les sièges, le faux marbre de la corniche et les plinthes.

Ci-dessus à droite : le brun-violet profond des murs rend cette vaste pièce accueillante et intime. La même couleur chaude est reprise dans les tableaux, le tapis d'Orient et les tissus ; le cuir vert-bleu des fauteuils et l'éclat métallique des abat-jour argentés originaux offrent des touches de contraste froid.

ROUGE ET ROSE PASSÉS

Les rouges bleutés, lorsqu'ils sont assourdis, semblent moins froids et deviennent en apparence à la fois chauds et éteints. Ils peuvent agrandir une pièce, tout en étant des couleurs chaudes et réconfortantes.

Les couleurs fraîches, violentes ou acides sont difficiles à associer à ces rouges et ces roses ; les couleurs naturelles et neutres — les blancs, les crèmes et les couleurs de la fleur de magnolia — leur donneront de la fraîcheur, alors que les verts serviront de couleur complémentaire et permettront les contrastes. Les gris et les bruns pourront être associés de façon harmonieuse. Des touches prises dans la même zone du spectre — garance, terre cuite et rose — peuvent très bien s'intégrer, équilibrées avec des verts à tonalité froide. Les rouges et les roses passés vont bien sur les murs et sur les tissus de coton, de lin et les taffetas.

Page de gauche : les tissus à carreaux et à bandes rouges et blanches rappellent les bandeaux rouge-rose de cette chambre à coucher suédoise du XVIIIe siècle. Les rouges passés trouvent leur complémentaire dans les tons du bois et le vert pâle des murs et des sièges.

Ci-dessus : cette maison de campagne anglaise a été décorée de manière simple et efficace. Le sol dallé de pierre et l'enduit irrégulier des murs constituent un décor froid qui exige la chaleur et la force de couleurs complémentaires. Les murs ont été rehaussés d'un glacis de terre d'ombre naturelle et de blanc pour imiter la pierre. Le tissu du fauteuil et du banc à dossier apporte deux nuances de rouge — un rouge doux et un rouge plus sombre — qui sont accentuées par le tapis turc et la note rouge des coussins. Quelques touches de vert complémentaire achèvent l'harmonie.

Ci-contre : ces tissus illustrent la douceur et la force de quelques nuances de rouge associées à des teintes neutres ou à quelques détails soulignés en noir. Les couleurs sont délicatement animées grâce au motif, même le plus simple.

Page de gauche : la dominante de rouge passé unifie la plupart des éléments décoratifs de cette pièce d'une maison de Grande-Canarie. Le rose cyclamen pâle des murs est une nuance de cette couleur, le rose buvard du sofa en est une variante assourdie et le velours bourgogne du fauteuil en est une nuance très sombre. Toutes ces variations forment une belle harmonie. Même le badigeon gris-bleu de l'encadrement de la porte et de la baguette de lambris est légèrement teinté de rose. Les autres couleurs de la pièce sont le vert bleuté éteint des volets intérieurs et le bleu argenté du tissu en coton de Fortuny qui recouvre le siège.

Ci-contre : équilibré par les vert-gris assourdis et la couleur du bois naturel, un délicat rosé imprègne l'atmosphère de cette pièce d'un manoir finlandais. Bien visible dans les bordures des panneaux, le rosé est également repris dans les motifs du tissu qui garnit les sièges.

ROSE TYRIEN

Le rose tyrien, intense, vibrant, saturé et de nuance violacée, fut créé dans les années 1860, grâce à la synthèse d'un nouveau colorant, la fuchsine. Les Anglais appelèrent cette nouvelle couleur « magenta » après la bataille du même nom de 1859. En 1935, le publicitaire Schiaparelli qualifia une version moins profonde et moins pourpre de cette couleur de « rose shocking ».

C'est une couleur forte et exigeante, qui demande un emploi prudent pour en tirer les meilleures possibilités. De petites taches se marieront bien avec des touches de couleurs également vibrantes, chaudes ou acides — le turquoise, le bleu nuit, l'orangé, le jaune citron acide et le vert-jaune.

Cette couleur est souvent associée à des soies diaphanes, des tissus de sari et des étoffes brodées d'or et de paillettes en provenance d'Orient.

Ci-dessus : les lambris sombres de cette maison thaïlandaise constituent un fond idéal pour les coussins de soie aux couleurs brillantes. Le magenta n'est pas dominé par les autres couleurs, tout aussi vibrantes.

Ci-contre : la cotonnade indienne qui recouvre ces canapés est d'une couleur magenta adoucie, qui s'harmonise bien avec les bruns légers, les roses éteints et l'orange des coussins. Les tissus à motifs du fauteuil et de certains coussins ajoutent des notes de jaune acide, de vert cru, de vermillon et de bleu-vert, et animent la composition.

Page de gauche : le sofa cerise, le papier peint rose brillant, avec ses estampes noires et blanches et les rideaux de taffetas brun sombre, non doublés et presque translucides, ont tous la même nuance sous-jacente. La soie rose thé et le tissu indien écarlate brodé qui couvrent les fauteuils créent des zones de couleur forte, alors que la moquette introduit le jaune, le rose et le blanc à l'intérieur d'un petit motif géométrique.

VIOLET ET POURPRE

Du pourpre intense aux mauve, lilas clair et autres violets, ces teintes varient selon la proportion de bleu ou de rouge et selon leur degré d'intensité.

Le pourpre, couleur traditionnelle du deuil en Occident a toujours évoqué la majesté et le pouvoir. En 1856, Perkin lança le mauve — colorant synthétique d'origine organique — qui devint rapidement très en vogue.

En raison de son intensité, le pourpre sera réservé pour les détails d'une pièce (tissus ou objets). Les mauves plus pâles, les violets et les lilas sont plus faciles à utiliser sur des surfaces plus grandes et se marient bien avec les différentes nuances de vert.

Il existe peu de pigments pourpres naturels et la couleur est obtenue par mélange de bleu et de rouge. Des rouges tirant vers le bleu et le bleu à tonalité chaude donneront les meilleurs résultats.

Ci-contre : le violet peut surprendre dans une cuisine, mais les teintes utilisées ici créent un effet de fraîcheur, de netteté et donnent un aspect fonctionnel, équilibré par le blanc cassé de la porcelaine et par les autres objets. Les carreaux de céramique utilisent harmonieusement les mauves et les violets aux tonalités tour à tour chaudes ou froides.

Ci-dessus : dans le Connecticut, cette chambre à coucher simplement meublée associe des éléments anciens et modernes ; elle surprend par le choix du violet pour les murs et le plafond tendus de tissu de coton ainsi que pour la table laquée. Peu utilisé comme couleur d'ensemble — a fortiori *dans les chambres à coucher —, le violet est séduisant par sa fraîcheur.*

Page de droite : un violet pâle sert de toile de fond discrète à la riche collection d'objets et de meubles du « salon de la Justice » de l'ancienne demeure de Sir Sacheverell Sitwell. Deux cabinets laqués et une cloche de verre protégeant des oiseaux empaillés sont disposés à côté de statues, de miroirs et de tableaux à l'encadrement très travaillé. La porte peinte en blanc, avec ses vitres rouges surprenantes, contraste avec le violet pâle des panneaux muraux, encadrés de frises florales délimitées de noir. Dans cette pièce, le noir — équilibré par les éléments dorés — possède une force qui compense le rouge des vitres, alors que le blanc adoucit l'ensemble et donne de la délicatesse au violet.

Ci-contre en haut : voici une belle illustration de l'effet des taches de couleur sur un fond de tons neutres. Plutôt que d'être un élément permanent de la décoration, la couleur est introduite ici par des détails éphémères : écharpes, habits, fleurs et tableaux. Une variété de rouges bleutés est présente dans les couleurs prune, garance, magenta et pourpre, jusqu'au violet.

Page de gauche : la couleur pourpre à tonalité chaude du dressoir focalise le regard et constitue un excellent support pour une collection de céramique bleu de Chine et de verres assortis. Le jaune ambré de la boîte à thé et le vert du plateau et des verres créent une composition de complémentaires. Le gris argent des plats d'étain fait paraître le pourpre plus brillant, tandis que les tons chauds du bois du mobilier et du parquet font ressortir la dominante rouge.

Ci-contre en bas : une combinaison de couleurs froides a été choisie pour cette chambre à coucher mansardée d'un appartement romain ; le vert pâle des murs à lambris — en style piémontais du XVIIIe *siècle — sert de couleur de fond pour le lit imposant, drapé de toile de Jouy à motifs mauves. Les deux couleurs sont reprises dans le tapis d'Aubusson, dont le fond bleu constitue la teinte la plus sombre de la pièce. Les poutres rustiques blanchies contribuent beaucoup à l'atmosphère particulière de cette pièce, qui combine la simplicité, le luxe et l'intimité.*

Bleu

BLEU À TONALITÉ CHAUDE

Ces bleus intenses et puissants sont des couleurs saturées, ni teintées de blanc, ni atténuées de terre d'ombre complémentaire.

À l'origine, la couleur fut fabriquée à partir de l'outremer naturel, dont le pigment était du lapis-lazuli broyé, introduit en Europe au XIIe siècle. Cette pierre semi-

Ci-dessus : pour la collection d'objets décoratifs de l'art du XIXe siècle créée par Charles et Lavinia Handley-Read, le bleu intense qui sert de fond met en valeur les couleurs contrastées des carreaux de céramique et du plat central ; il équilibre également l'intensité du papier peint à motifs victoriens.

Ci-contre : le bleu puissant et saturé de cet escalier à Jodhpur, au nord-ouest de l'Inde, est mis en valeur par le turquoise intense — quoique assourdi — de la porte.

Page de gauche : le vestibule d'entrée de cette maison du comté de Donegal en Irlande a été peint en bleu « électrique », qui a été obtenu en mélangeant une poudre bleue utilisée en blanchisserie à une base de badigeon. Le mélange a été passé directement sur le plâtre pour donner une finition irrégulière et un peu granuleuse. La même couleur a été ensuite appliquée une deuxième fois avec une base acrylique transparente plus stable. Des touches de blanc compensent le bleu intense. D'autres couleurs ne sont pas nécessaires.

précieuse était alors si chère que la couleur était réservée à la peinture des tableaux et miniatures. Ce n'est qu'en 1828 qu'un outremer artificiel devint disponible et ce pigment ne fut utilisé en décoration que vers le milieu du siècle. Le bleu de cobalt, moins rouge, fut également une découverte des débuts du XIXe siècle.

Ces bleus sont parfaits pour les murs d'une pièce petite et sombre. Dans une grande pièce, ils conviendront bien si l'on y accroche des tableaux et des miroirs. Ces bleus font de l'effet lorsqu'ils sont équilibrés par des blancs, des ors ou des jaunes, ou associés à des rouges puissants ou de l'orange.

Ci-contre : un bleu intense et chaud, mélange d'outremer français et de cobalt, a été utilisé pour peindre cette niche murale. La couleur fournit un fond approprié pour la collection de porcelaines bleues et blanches.

Ci-dessous : la richesse de coloris et la texture lisse de ces jarres en terre cuite offrent un complément idéal pour le bleu puissant du mur irrégulier. Ce sont des couleurs fortes et simples ; l'absence d'autres teintes donne une grande puissance à cette composition.

Ci-dessus : ce détail du portique à fresque, peint par Schinkel, dans le château de Charlottenhof, à Potsdam, montre l'influence de la couleur et du dessin classiques dans la décoration intérieure européenne au début du XIXe siècle. Réinterprétation du décor d'un mur de Pompéi, le bleu saturé et chaud du panneau est souligné par un bandeau rouge de même tonalité et équilibré par des détails délicatement dorés. Une même luminosité pourrait être obtenue en passant un bleu de cobalt pur et profond — lié au jaune d'œuf — sur un plâtre blanc brillant. Ce fond blanc agit alors comme une lumière sous-jacente, éclairant la couleur sans atténuer son intensité.

Ci-contre : un bleu pur et puissant a été employé dans ce couloir moderne pour ajouter une note de couleur à la géométrie sévère des lignes et des surfaces blanches. Le bleu trouve sa complémentaire dans la couleur des briques orange du plafond et du sol.

BLEU PROFOND ET CHAUD

Ce bleu doux, profond et parfois lumineux évoque la couleur d'un ciel nocturne. Trop assourdi pour être brillant, il n'en a pas moins de la force et révèle l'aspect chaleureux du rouge.

Sa puissance rappelle l'ancienne couleur obtenue à partir des feuilles de l'indigotier. Les Romains appelaient cette teinture *color indicus* (littéralement « couleur indienne ») et, de fait, l'essentiel de l'indigo, importé en Europe à partir du XVIIIe siècle, était transporté sur les bateaux de la *British East India Company,* la Compagnie anglaise des Indes orientales. Au XIXe siècle, à partir de colorants naturels comme l'indigo, William Morris utilisa de nombreuses nuances de bleu — y compris le bleu profond et chaud — pour ses motifs de chintz et de papiers peints.

Ce bleu, dont la complémentaire est l'orange soutenu, peut offrir un fond délicat pour d'autres couleurs fortes. Les rouges paraîtront particulièrement vifs, alors que le blanc fournira un contraste saisissant. Des couleurs plus lumineuses, plus claires et plus crues peuvent lui donner de l'éclat.

Ci-dessus : ce plafond voûté, au sommet d'un escalier en spirale, dans une église aménagée, a été peint en bleu sombre profond et constellé d'étoiles blanches. La profondeur du bleu crée l'illusion de la voûte infinie d'un ciel nocturne. Un mince liseré orange pâle fait ressortir encore plus la couleur.

Ci-contre : le papier peint bleu profond rayé de ce salon s'harmonise bien avec les rouges et orange vifs, de tonalité chaude, des tissus. Ce bleu particulier n'a rien de la froideur caractéristique de beaucoup d'autres bleus ; au contraire, il donne à la pièce un aspect chaleureux mis en valeur par cet habile arrangement de couleurs.

Page de gauche : les murs nus de cette ferme suédoise ont été peints en bleu rougeâtre profond. La couleur a pour effet non seulement d'assurer la liaison entre les pièces, mais aussi de souligner la teinte délicate du parquet brut et du plafond et l'éclat des tapis jaunes.

Ci-dessus : ici, un bleu doux, intense et net, sans aucune nuance de vert, crée une atmosphère de clarté et de fraîcheur, assortie aux matériaux des murs et des meubles lambrissés.

Ci-dessus à droite : cette chambre à coucher est très peu colorée — murs et draps blancs, carrelage gris, boiseries brunes — mais elle est égayée par de délicates touches de rouge et de bleu chaud. Le bleu des montants de lit contient assez de blanc pour le rendre éclatant sans qu'il soit ni trop sombre ni trop pâle. Le rouge, les bleus et le blanc du tableau assurent la cohérence de l'harmonie.

Ci-contre : les cotonnades bleu passé qui recouvrent les fauteuils donnent à ce vaste salon de campagne une atmosphère estivale et légère qui contraste avec les bruns chauds du sol de briques et des poutres en chêne.

BLEU CLAIR À TONALITÉ CHAUDE

Couleurs des jacinthes, des campanules et des bleuets, les bleus clairs à tonalité chaude sont agréables, doux, accueillants et s'intègrent facilement aux décors. Ils s'harmonisent avec de nombreuses couleurs : l'orange complémentaire, des nuances de terre cuite, des jaunes, des rouges et des lilas. Des verts de même tonalité peuvent établir un contraste violent, alors que les blancs se marieront à merveille avec ces bleus. Ce sont en fait des couleurs changeantes et très adaptables, qui conviennent à des maisons de caractères, de styles et de périodes différents, et à toutes les pièces.

Ces bleus peuvent être préparés à partir de cobalt ou d'outremer mélangés à du blanc, mais le bleu de cobalt fournira les nuances les plus pures et les plus intenses. Une pointe de terre d'ombre complémentaire produira un effet plus froid et moiré.

Ci-dessus : le bleu et le blanc se marient toujours bien. Ces volets délavés par les intempéries, au château de Charlottenhof, gardent leur distinction grâce à leur forme simple et au contraste de leurs teintes : bleu moyen assourdi et blanc crayeux.

Ci-contre : les propriétaires de cette maison londonienne ont choisi la couleur de leurs murs après avoir lu que le bleu était souvent utilisé dans les cuisines au XVIIIe siècle : on pensait alors qu'il faisait fuir les mouches ! Les trois couleurs primaires ont été employées. Utilisées au même degré d'intensité, elles tendent à s'annuler, mais les bleus sont ici adoucis et les rouges orangés ; on relève juste une touche de jaune dans les carreaux écossais qui entourent le poêle à bois de l'époque victorienne.

Le bleu clair des murs grossièrement enduits a été obtenu en badigeonnant un glacis bleu de cobalt pur sur une sous-couche de peinture d'apprêt blanc mat à l'huile. Le tout a été ensuite protégé par une couche de vernis mat.

Ci-dessus : le bleu mat doux et assourdi de cette chambre à coucher irlandaise contraste avec le blanc de la cheminée, du fauteuil et du plafond. Le blanc renvoie la lumière sur les murs, ce qui crée une atmosphère agréable et reposante. Des touches de rouge dans le tissu du siège, le tableau et la commode en acajou donnent de la chaleur à la pièce.

Ce bleu assourdi est obtenu en mélangeant du bleu de cobalt avec du blanc atténué par de la terre d'ombre naturelle ou brûlée.

***Page de droite :** des couleurs très différentes peuvent parfois se marier harmonieusement. Cette chambre à coucher associe du bleu, du vert et du rose d'intensités presque équivalentes.*

Un pigment en poudre d'artiste, d'origine marocaine, mélangé à du lait, a été badigeonné à l'eau sur une première couche de blanc pour obtenir cet effet voilé et apaisant.

Ci-dessus : des bleus différents peuvent être associés sans paraître discordants, comme ici dans cette maison d'Oyster Bay, près de New York. Ici, le bleu-vert des murs offre un fond très chaud pour le banc bleu vif et le cheval bleu-gris. Toutes les couleurs ont la même intensité et réalisent une parfaite harmonie de ton.

Ci-contre : trois nuances de bleu vif sont compensées par l'escalier en pin naturel doré dans cette ancienne ferme suédoise. On a mélangé des pigments d'outremer et de céruléum avec de l'huile, de la térébenthine et du blanc de zinc, que l'on a appliqué directement sur l'enduit des murs pour obtenir cet effet de texture.

Page de droite : inspirée par une illustration d'un livre sur Richelieu écrit par Leloire, cette chambre à coucher originale est décorée de nombreux accessoires dorés mis en valeur par la prédominance du bleu vif intense. Les tons dorés de la tête de lit se retrouvent dans les jaunes plus terreux des tableaux et du plafond. La richesse de la couleur des murs est compensée par le dessus-de-lit bleu et blanc et par le motif géométrique du carrelage.

BLEU VIF

Évoquant la couleur nette et claire d'un ciel d'été, les bleus vifs se caractérisent par leur profondeur et leur intensité et sont utilisés depuis très longtemps dans la décoration d'intérieur.

Au début du XVIe siècle, le bleu vif était une couleur à la mode pour les plafonds. Madame de Rambouillet l'utilisa pour la fameuse « chambre bleue » de son hôtel parisien, vers 1620 : les tentures de velours à motifs dorés, les sièges, le dessus-de-table et les murs peints — tout était bleu. Le même effet d'opulence fut réalisé vers la fin des années 1630 pour la salle à manger de Ham House, près de Richmond.

Les bleus vifs s'harmonisent bien avec l'orange, les tons naturels et neutres, le blanc et les verts moyens ; leur aspect est particulièrement saisissant lorsqu'ils sont équilibrés par des accessoires dorés.

BLEU PROFOND ET FROID

Le bleu profond à tonalité froide est en fait un bleu-vert très sombre, souvent associé aux uniformes militaires et aux vestes de cheval.

Cette couleur peut être obtenue à partir du bleu de Prusse, le ferrocyanure ferrique, qui fut le premier pigment synthétique à être produit. Découvert par Diesbach à Berlin au tout début du XVIIIe siècle, il ne fut disponible que vers 1720.

Dans le domaine de la peinture, Georges Braque employa fréquemment ce bleu profond et froid pour contraster avec ses brun-rouge puissants. Dans sa « période bleue », Picasso utilisa également cette couleur pour créer des atmosphères de mélancolie et d'introspection.

Le bleu profond et froid se marie admirablement avec l'orange, le rouge, le rose, le jaune et les nuances terre cuite. La couleur sera particulièrement frappante si on la compense avec du blanc ou si on l'associe avec des touches dorées. De petites taches de rouge magenta, de vert-jaune ou de turquoise accrocheront le regard sur un fond de bleu profond très sombre.

***Ci-dessus** : cette porcelaine chinoise du XIVe siècle associe le bleu profond et le blanc.*

***Ci-contre** : les changements de couleur d'une pièce à l'autre peuvent être traités de diverses manières. Ici, on passe des bleus sombres, teintés de vert, aux bleu-vert pâles, mais apparentés, du vestibule. L'encadrement bleu profond de la porte, entouré d'un bleu légèrement plus clair, attire l'œil vers les couleurs plus vives qui se trouvent au-delà.*

***Page de gauche** : la « chambre de la Tente » du château de Charlottenhof, décorée à la fin des années 1820, se réfère à la simplicité de décor du style militaire napoléonien, si populaire en France au début du XIXe siècle. Un bleu profond et froid, accentué par le blanc, crée une atmosphère d'une exceptionnelle élégance. Les sièges et les lits de camp, recouverts de coton, reprennent le motif du papier peint des murs et du plafond. Les nuances plus chaudes du parquet ajoutent de la clarté et un contraste de couleur et de matière. Les larges rayures et les contours des tissus drapés donnent de la profondeur et de l'ampleur à la pièce.*

Ci-dessus : tissus imprimés à motifs bleus, crème et or.

Ci-contre : dans cette salle à manger, on a donné la même importance à la couleur et au design. Le bleu sombre et froid du mur contraste avec la couleur crème des panneaux encadrés et du plafond. Les cadres dorés des panneaux, les tons du parquet, de la table et de la statue de la niche, compensent la froideur des teintes bleues et crèmes.

Page de droite : une association analogue de couleurs est utilisée dans le cadre plus traditionnel de ce salon à Edgewater, près de l'Hudson. Le tissu bleu profond, les murs gris et les panneaux en trompe-l'œil contrastent avec le brun chaud du bois. Les sièges et le sofa, de style Empire, sont capitonnés de tissu bleu « à l'abeille impériale ». Cette association de bleu et de doré se retrouve dans les porcelaines fines.

BLEU-GRIS

Les bleu-gris forment une catégorie de couleurs subtiles et délicates, dont certaines présentent une légère nuance verte. Ils sont généralement associés à un style de décoration caractérisé par son élégance sobre, son charme et son atmosphère lumineuse et aérée.

Ces bleus amortis ont une longue tradition dans la décoration intérieure ; on les associe souvent avec les couleurs assourdies utilisées dans l'Amérique coloniale du XVIIe siècle, où ils furent employés pour peindre les murs, le mobilier ainsi que les boiseries intérieures et extérieures. Les bleu-gris ont été également très utilisés en Suède, à la fin du XVIIIe siècle, aussi bien dans les demeures luxueuses que dans les intérieurs modestes.

La couleur la plus célèbre que créa le céramiste industriel Josiah Wedgwood fut

Ci-dessus : le papier peint bleu-gris et bleu pâle avec un motif plus sombre convient tout à fait à cette salle de bains originale. Par sa coloration, c'est en effet une complémentaire assourdie des teintes orange des tableaux et des tissus, qui s'apparente avec les motifs aquarellés de la table de toilette en pin et le bleu de cobalt vif des porcelaines.

Ci-contre : le bleu-gris assourdi des murs de ce salon de campagne anglais est l'une des couleurs de la gamme des « bleus Wedgwood ». Cette nuance peut être obtenue en mélangeant du bleu de cobalt avec du blanc, rabattus par un peu de terre d'ombre brûlée.

Page de gauche : les murs à panneaux de cette salle à manger géorgienne ont été badigeonnés d'une émulsion à l'eau de vert Nil pâle, teintée de bleu, et d'une touche de terre d'ombre. L'harmonie est obtenue avec le turquoise sombre des chaises recouvertes de soie et les bleus et rouges puissants du dessus-de-table brodé. Les couleurs caramel et brunes des motifs de tissus peints du XIXe siècle se retrouvent dans les poutres en chêne du plafond.

un bleu-gris clair, toujours connu sous le nom de « bleu Wedgwood ».

Les associations de couleurs fondées sur le bleu-gris et sur le bleu-gris teinté de vert sont souvent délicates et lumineuses. La subtilité de cette couleur explique qu'on l'emploie de préférence dans des combinaisons simples. Elle s'harmonise parfaitement avec le blanc ou le crème, les couleurs d'huître et de terre cuite et sera mise en valeur par des touches de bleu ou de vert plus profonds et de corail. Le bleu-gris s'associe très bien avec les tons de bois naturel, car il met en valeur la chaleur de leur composante orange avec son propre bleu (qui en est le complémentaire). Le bleu-gris ou le bleu-gris teinté de vert offrent un fond presque neutre pour des zones de couleurs plus éclatantes : rouges et orange vif, par exemple.

Ci-dessus : dans la salle à manger de cette maison du XVIIIe siècle, en Nouvelle-Angleterre, la couleur est peu utilisée. Outre les tons du bois et de la peinture blanche, la seule couleur de la pièce est le bleu-gris profond teinté de vert des encadrements de fenêtre, rappelé par les tons gris acier des anciennes chaises françaises en métal. Cette touche de couleur donne une chaleur discrète à un intérieur aux tonalités froides.

Ci-contre : dans un décor comme celui-ci, on remarque une couleur même faible, pour peu qu'elle soit placée auprès de sa complémentaire. Les bruns orangés chauds du parquet et du mur de planches rehaussent le délicat bleu-gris de la teinture du meuble.

Page de droite : le bleu-gris élégant des murs lambrissés, dans cette résidence d'été suédoise, reflète sa simplicité et sa sobriété. Une fenêtre sans ornement capte le maximum de lumière et la laisse glisser sur le sol nu et blanchi et sur la peinture blanche du mobilier ; la touche de couleur est apportée par le tissu rayé des sièges.

BLEU-VERT

Les bleu-vert à tonalité froide rappellent les couleurs des mers tropicales ou les teintes délicates des œufs d'oiseau. Ce sont des couleurs élégantes et ambiguës, à la frontière entre le vert et le bleu.

Malgré leur pâleur, ils peuvent parfois avoir un peu l'intensité du turquoise ; un effet plus doux sera obtenu avec un peu de terre de Sienne ou d'ombre brûlée. À leur plus grand degré de transparence, ils créent une atmosphère aérée ; dans des tons plus assourdis, plus mats ou plus gris, ils donnent un caractère ancien et désuet.

Dans l'Amérique coloniale, en Virginie, un bleu-vert pâle, connu sous le nom de « bleu d'apothicaire », fut très utilisé avec du rose pâle, de l'or et du gris étain. Dans les années 1820, le décorateur et architecte Karl Friedrich Schinkel utilisa un vert-bleu original pour le sofa en bois d'aulne et les murs du salon au château de Charlottenhof, à Potsdam.

Ci-dessus : cette pièce mansardée a été peinte en bleu-vert très pâle, avec un ton plus léger pour les panneaux du placard, afin de lui donner de la profondeur et de l'ampleur. Les étagères en bois, les lambris de la fenêtre et le vernis de la niche compensent la froideur du mur par la chaleur et le grain de leur matière.

Ci-contre : les murs d'un bleu-vert pâle mais intense et la chaleur du tapis rouge-orange créent l'atmosphère claire et moderne de cette salle à manger. Le cadre vert sombre de la fenêtre et les bleus puissants du tissu et des coussins des sofas équilibrent l'ensemble.

Page de droite : le bleu-vert froid des murs de ce salon londonien a été choisi pour équilibrer le brun orangé de la cheminée en cuivre repoussé. La décoration de la pièce utilise quatre nuances de bleu-vert, une teinte claire pour le plafond et une plus sombre pour les panneaux du placard. Les bleus et les verts des murs se retrouvent dans la moquette et le vert moyen du sofa.

La façon dont nous percevons les bleu-vert est considérablement influencée par les couleurs qui les entourent : associés à des oranges ou des bruns, ils mettront en valeur le complémentaire bleu de la couleur ; à côté de rouges ou de roses, la composante verte de la couleur sera plus apparente. Les bleu-vert à tonalité froide se marient bien avec des teintes plus chaudes comme les roses doux, les nuances terre cuite et les roux chaleureux.

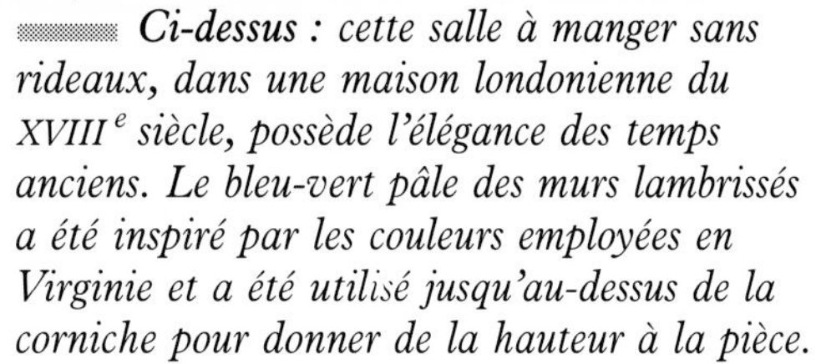

Ci-dessus : cette salle à manger sans rideaux, dans une maison londonienne du XVIIIe siècle, possède l'élégance des temps anciens. Le bleu-vert pâle des murs lambrissés a été inspiré par les couleurs employées en Virginie et a été utilisé jusqu'au-dessus de la corniche pour donner de la hauteur à la pièce.

Ci-dessus : les associations de couleurs qu'offre la nature sont parfois étonnantes et peuvent donner des idées de décoration. Ces œufs de merle sont tachetés de roux, couleur complémentaire naturelle du bleu-vert.

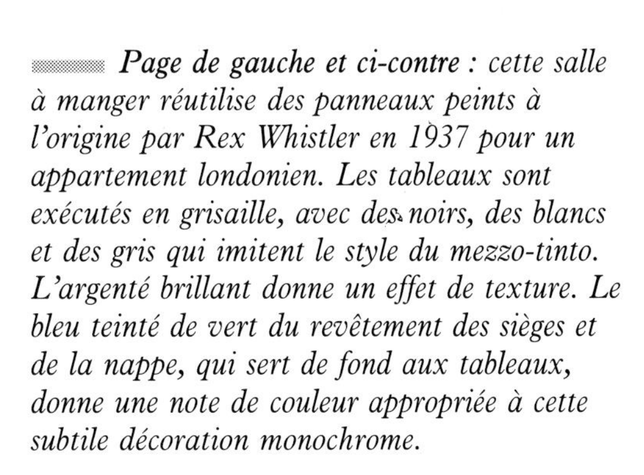

Page de gauche et ci-contre : cette salle à manger réutilise des panneaux peints à l'origine par Rex Whistler en 1937 pour un appartement londonien. Les tableaux sont exécutés en grisaille, avec des noirs, des blancs et des gris qui imitent le style du mezzo-tinto. L'argenté brillant donne un effet de texture. Le bleu teinté de vert du revêtement des sièges et de la nappe, qui sert de fond aux tableaux, donne une note de couleur appropriée à cette subtile décoration monochrome.

Vert

Ci-contre : dans ce manoir Tudor, les lambris du palier de l'étage supérieur ont été peints en turquoise soutenu. Cette couleur offre un fond animé aux tableaux et contraste agréablement avec les tons chauds des bois anciens et de la bordure rouille du tableau de fleurs encastré dans le mur.

Ci-dessous : une association analogue de couleurs, de textures et de matières a été utilisée à Mount Vernon, en Virginie, maison de la fin du XVIIIe siècle et ancienne résidence de George Washington. La porte peinte en turquoise forme un bloc de couleur qui se détache sur la blancheur des murs et sur le plancher grossier. La lampe à huile, avec son miroir, est bordée d'une nuance plus pâle de turquoise, qui permet d'harmoniser les deux teintes dominantes de la pièce.

VERT BLEUTÉ

Les verts bleutés occupent une zone du spectre plus large que n'importe quelle autre gamme de couleurs. Le turquoise est le nom générique des nuances les plus intenses, à la limite du bleu et du vert, bien que l'appartenance à l'une ou à l'autre de ces couleurs soit l'objet de controverses : pour certains, elle est plus proche du bleu, pour d'autres, du vert.

La pierre semi-précieuse elle-même, importée à l'origine du Sinaï par les Égyptiens, fournit peu d'indications, puisque, selon sa qualité, elle varie considérablement entre le bleu et le vert. Cette gamme de couleurs était très utilisée dans les cultures anciennes de l'Égypte, de la Perse, du Tibet et du Pérou. On pourra trouver des idées d'harmonies de couleurs dans les fresques,

Ci-dessus : des tissus vifs et de texture marquée — ici, une combinaison de turquoise et de rouges orangés — donnent de l'éclat à la décoration d'une pièce.

Ci-contre : dans cette petite pièce à renfoncements, le turquoise caractéristique des céramiques persanes et islamiques anciennes est équilibré par la peinture blanche et par un mur de couleur jaune-orange soutenue. L'arrangement des couleurs, ponctué de rouge, donne de l'intimité à cette pièce. La couleur turquoise fut très employée dans des pays comme l'Iran, marqués par l'importance de l'eau ; reproduite à l'infini dans les céramiques et les carreaux décoratifs, elle rappelait constamment l'eau et le ciel à ces peuples du désert.

Ci-dessous : le vert-bleu mat de cette salle à manger, de la région de Cotswold en Angleterre, a été obtenu par la technique traditionnelle du chaulage : une première couche sans pigment est appliquée sur l'enduit, puis des pigments purs, broyés et mélangés à de la chaux éteinte, sont badigeonnés sur les murs. La couleur obtenue est très claire et très fraîche.

céramiques, tapis et autres objets décoratifs qui subsistent de ces cultures. Associés à des rouges ou des bleus profonds, des blancs, des oranges, des ocres jaunes, des rouilles ou même des mauves ou des bruns, les bleu-vert permettent des harmonies riches et chaleureuses.

Sous l'influence des couleurs persanes, le céramiste du mouvement *Arts and Crafts*, William de Morgan, utilisa fréquemment le turquoise dans ses compositions de la fin du XIXe siècle. Dans les intérieurs Art déco et Art nouveau, des couleurs pâles et neutres — blanc, crème et beige — furent souvent compensées par des touches de vert-bleu pâle, ou de turquoise, voisinant avec des jaunes, des oranges ou même des vert-jaune à tonalité chaude. Les harmonies de vert bleuté et d'orange ont été très en vogue dans les années soixante.

Des associations simples et plus subtiles peuvent être obtenues en mariant des verts bleutés pâles avec des blancs, des noirs et des couleurs neutres.

Les pigments turquoise restent assez chers, mais on peut facilement obtenir cette couleur en mélangeant un vert-bleu avec du bleu azuré et une touche de blanc.

Ci-dessous : un imposant fauteuil ancien, installé dans un angle de cette salle à manger londonienne nouvellement décorée, donne à ce petit espace sa couleur dominante. Le vert-bleu du tissu de coton qui recouvre le siège s'harmonise avec une version assourdie de cette couleur qui se trouve sur les murs. La surface abîmée et le rose sali de l'ancien enduit centenaire atténuent l'éclat de la nouvelle peinture et donnent un cachet ancien à cette décoration classique.

Ci-dessus : dans de nombreuses pièces, la couleur est donnée par les murs. Ici, en revanche, le papier peint est neutre et la couleur apportée par l'ameublement et les tissus. Des nuances subtiles de vert bleuté pâle se retrouvent sur le canapé, les coussins, les bordures des céramiques, les pieds de lampe et l'encadrement des gravures. Ces tons clairs et froids sont équilibrés par les rouges et les bruns sombres du tapis, de certains coussins et des petites tables.

OOKS DRY RED

VERT SOMBRE

Les verts profonds assourdis sont les couleurs du houx, du lierre et du sapin. Parmi les noms populaires de ces couleurs, on trouve le vert bouteille et le vert forêt.

Le vert a été longtemps une couleur très employée en décoration ; jusqu'au début du XVIIIe siècle, on le préparait à partir de vert-de-gris pour obtenir une peinture à l'huile ou de terre verte pour un badigeon. Ces deux verts ont une nuance bleuâtre et le vert-de-gris tend à s'assombrir avec le temps. Les lambris du début du XVIIIe siècle, qui ont gardé leur peinture à l'huile originale, paraissent aujourd'hui beaucoup plus sombres que lors de leur réalisation. Au XVIIe siècle, le vert sombre était souvent mis en valeur par des détails et des moulures dorés. Avec d'autres couleurs assourdies, il fut très à la mode au siècle dernier.

Les verts sombres sont assez spectaculaires en peinture murale, surtout en finition mate ou semi-brillante. Un mur vert sombre exige un éclairage puissant pour ne pas paraître noir.

Le vert sombre s'harmonise avec l'écarlate, la garance, le rouge-orange et le rose-brun, ainsi qu'avec les jaunes pâles et sombres, et le bleu vif.

Page de gauche : *pour cette petite pièce sombre située au sous-sol, le décorateur avait comme instruction de créer une ambiance gothique. Sur un fond de couleur abricot pâle, les murs et le plafond ont été peints en vert sombre, obtenu par de fines couches successives de vert profond et de bleu de cobalt. Un glacis de vert prussien et d'indigo a été ajouté en dernière finition.*

Le motif de la frise ***(ci-dessus)*** *a été obtenu en grattant jusqu'au fond abricot avec une lame aiguisée. La bande festonnée a été recouverte d'un glacis ocre jaune, puis légèrement grattée. Des bandes ocre jaune, vertes et rouge foncé décorent la corniche et l'encadrement de la porte. Les murs vert sombre prennent une teinte très profonde à la lumière douce des chandelles, qui donne un air de mystère à la pièce, et révèle l'éclat des couleurs de la frise.*

Ci-contre : *dans cette chambre, les verts bleutés sombres — tête de lit en chintz, dessus-de-lit piqué, étagère et chaise italienne — sont associés à du blanc et du crème pour créer un effet particulièrement distingué. Une lumière atténuée filtrant à travers les persiennes adoucit l'atmosphère.*

VERT-GRIS

Ci-dessous : la maison Gardner-Pingree de Salem aux États-Unis, construite de 1804 à 1806 par l'architecte Samuel McIntyre, a été très soigneusement restaurée en style « American Federal ». Les verts pâles et grisâtres des boiseries s'harmonisent avec le rose des murs et constituent un fond clair et discret pour les rideaux du lit, en tissu vichy bleu et blanc.

Le vert-gris est la couleur des saules, des feuilles argentées des oliviers, et de l'émaillage caractéristique des porcelaines de Chine de l'époque Song (X^e au XIIIe siècle de notre ère). La couleur, comme la porcelaine, est souvent appelée « céladon », nom du héros d'un roman pastoral, *L'Astrée*, écrit par Honoré d'Urfé en 1617 : le berger Céladon a le teint pâle et porte des habits vert fané. Les céladon chinois varient du vert olive transparent au vert laiteux mais aujourd'hui, la nuance appelée « vert céladon » est une teinte plus pâle et plus grise.

Les vert-gris, très à la mode au début du XVIIIe siècle, sont des couleurs douces, assourdies et à tonalité froide. Ils s'harmonisent bien avec les coloris naturels — bruns, ocre et crème — et peuvent également servir de fond neutre pour des couleurs plus puissantes comme l'orange, le pourpre ou le bleu paon, ou pour des teintes complémentaires comme le rose fané ou la garance.

Ci-dessous : les murs de cette chambre à coucher de Manhattan sont tapissés de papier peint à motifs chinois : sur un fond vert céladon (couleur de la céramique **ci-contre**), *des motifs de feuillage de pivoine en grisaille prédominent, avec quelques oiseaux et papillons très colorés. Une faille de soie vert-gris a été choisie pour les tissus, avec des dentelles et du linge de maison blanc cassé. Mobilier et abat-jour blancs, verreries et argenterie contribuent à l'atmosphère raffinée de cette pièce.*

VERT VIF

Cette teinte puissante est la couleur de l'émeraude, de certaines pommes et de l'herbe nouvelle.

Le vert vif fut une couleur à la mode pour les tissus et les rideaux de fenêtres et de lits au XVIIe siècle et au début du XVIIIe siècle.

Son usage est étroitement lié à la découverte du jaune de chrome, qui permit, à la fin du XVIIIe siècle, d'obtenir les premiers verts vifs stables. Il n'est donc pas surprenant que l'âge d'or de cette couleur ait été l'Empire. Napoléon, qui fixa par décret le vert vif comme couleur « officielle », l'utilisa pour ses résidences, l'associant de façon audacieuse à du blanc et de l'or.

Les verts vifs s'harmonisent également avec des jaunes brillants, des ocres et l'or, ainsi qu'avec les nuances pâles ou sombres de bleu-vert. Les rouges garance et les roses assourdis forment un doux contraste.

Ci-dessus : de larges surfaces de vert vif et profond, éclairées par un plaid de tartan à motifs rouges, donnent à cette petite chambre à coucher une intimité luxueuse et reposante.

Ci-contre : cette chambre à coucher richement décorée associe un tissu mural vert vif et un tapis persan d'un rouge éteint — tapis qui a inspiré l'ensemble de la décoration de la pièce. L'éclat du tissu est atténué par les tableaux du XVIIIe siècle à cadre doré, mais aussi par le grand motif d'arabesque imprimé en rouge et turquoise pâle. Le dessus-de-lit en Boukhara du XIXe siècle apporte une grande zone de rouge complémentaire.

Page de gauche : cette austère chambre à coucher, de style néo-classique, décorée par Karl Friedrich Schinkel, mélange le vert vif, l'or et le blanc dans l'esprit du style Empire. Aucun motif n'est visible dans la pièce, à l'exception des franges des rideaux de lit ; l'arrangement repose sur la puissance de la couleur et l'aménagement de l'espace. L'usage précis du blanc donne à la pièce une allure assez moderne.

Ci-dessus : les céramiques à émaillage vert tendre attirent discrètement le regard dans cet intérieur moderne. La peinture blanc mat met en valeur la délicatesse de la couleur. Les céramiques des années trente ont été dessinées par Keith Murray pour Wedgwood.

Ci-contre : la véranda victorienne, qui entoure Nindooinbah House, près de Brisbane, a été peinte avec des couleurs traditionnelles : vert, ocre et crème. Le mobilier ajoute des teintes plus profondes de vert et de brun, mais l'effet d'ensemble reste frais et aéré et rappelle la végétation luxuriante du jardin.

VERT ÉTEINT

Ces verts doux et assourdis sont des couleurs naturelles, reposantes et réconfortantes, qui évoquent le feuillage et le gazon d'été. L'œil s'adapte aisément à cette couleur, ni excessive ni fade, dont la tonalité n'est ni chaude ni froide, même si les nuances les plus assourdies peuvent paraître légèrement « froides ».

Les verts éteints ont été à la mode au XVIIIe siècle, et sont souvent associés à l'œuvre de l'architecte Robert Adam. Ils furent aussi utilisés pour la peinture des fauteuils de style Régence.

Le vert éteint se marie bien avec les nuances pâles et assourdies de sa complémentaire rouge. En s'inspirant des paysages naturels, on constate que de nombreux verts forment des combinaisons étonnantes et séduisantes.

Ci-dessus : les deux tissus à carreaux verts et blancs — de taille différente — utilisés pour cette chambre à coucher suédoise moderne ont été inspirés par les tissus traditionnels du XVIIIe siècle du château de Gripsholm. Ils équilibrent, avec force et simplicité, le papier mural composé d'estampes botaniques du XVIIIe siècle, protégées par un vernis jauni.

Les lambris et la corniche, de couleur verte éteinte, unissent le mur et les rideaux du lit.

Ci-contre : le vert des feuilles de ce papier du début du XIXe siècle — dans une maison de Salem, aux États-Unis — a été atténué par le motif du fond, de sorte que l'effet d'ensemble est un papier vert-gris qui s'harmonise avec la peinture gris pâle des lambris. Le blanc, le noir et l'or de la chaise, de la table et du miroir paraissent brillants et nettement définis par opposition.

VERT CLAIR

Souvent comparé à la couleur de la feuille d'amandier ou à celle de la pistache, le vert clair peut être obtenu à partir de n'importe quel vert additionné de blanc. Jusqu'au XXe siècle, on connaissait peu de pigments verts permanents : les plus courants étaient ceux que l'on pouvait extraire de sources naturelles, cuivre et terre verte essentiellement.

Les verts clairs sont très utilisés en décoration car ils s'intègrent facilement et ont des teintes subtiles. Ils équilibrent de nombreuses autres couleurs et créent des harmonies élégantes avec le crème, l'ivoire, le blanc et les ocres jaunes. Les verts de cette gamme, qui tirent légèrement plus sur le bleu, se marient bien avec les bleu-vert et les bleu-gris. Les couleurs rose mat ou terre cuite offrent des contrastes étonnants avec les verts clairs moyens.

La couleur peut être obtenue à partir de pigments ou de colorants verts, ou d'un mélange de jaune et de bleu. L'addition de blanc permet de varier les effets : une petite quantité rendra la couleur opaque, mais le vert gardera son éclat ; une quantité plus importante donnera au vert une apparence douce et poudrée.

Ci-dessus : les couleurs claires et naturelles du plancher et du plafond de bois sont le cadre idéal pour le vert des murs dans cette pièce d'un manoir finlandais du XVIIIe siècle. L'association du vert clair avec la teinte de bleu fané du lit à baldaquin produit un effet particulièrement agréable et reposant. Les lignes et les couleurs simples du lit sont équilibrées par les éléments plus ornés du reste du mobilier.

Ci-contre : une arcade, entièrement réalisée avec de la peinture, change la configuration et l'atmosphère de cette chambre à coucher très simple. La couleur pistache du mur est équilibrée par les teintes rosées et la texture du dessus-de-lit. On voit ici comment une idée ingénieuse, réalisée avec sensibilité et audace, peut transformer une pièce.

Ci-dessus : les couleurs contrastées du vert clair et du blanc cassé sont des plus élégantes dans cet exemple parfait de style « fédéral », dans une maison de Baltimore.

Ci-contre : cette maison de Marrakech, caractérisée par ses motifs en bois chantourné, montre une fois de plus comment les plus simples harmonies de couleurs peuvent permettre d'obtenir des effets réussis. Le vert amande de la porte est relevé et équilibré par le rose complémentaire des sièges tressés, de tonalité chaude. Les rideaux de couleur crème ajoutent une note de douceur et créent une impression de profondeur et d'espace.

VERT-JAUNE

Sous sa forme la plus claire, le vert-jaune évoque les feuilles bourgeonnantes ; c'est une couleur très utilisée en décoration, car elle ajoute de l'éclat au décor sans avoir l'agressivité des rouges ou des oranges vifs. Dans des tons plus sourds ou plus atténués, la couleur est moins intense et moins exigeante.

Associé en petite quantité à d'autres couleurs comme le bleu, le pourpre ou le rouge, le vert-jaune crée un effet saisissant. En combinaison avec le blanc, il a une tonalité calme, nette et fraîche. On pourra l'utiliser pour de grandes surfaces si on le ponctue de tableaux, d'ornements et autres objets décoratifs.

Il n'existe pas de pigment vert-jaune, bien que de nombreux colorants végétaux produisent cette couleur. Pour la peinture, le meilleur moyen de l'obtenir est de mélanger du jaune citron à un vert-bleu ou à un bleu céruléen. On peut également le préparer en ajoutant du noir à du jaune citron ; la couleur est alors moins intense.

Le vert-jaune peut naturellement être éclairci avec du blanc. Une teinte plus éteinte peut être obtenue en y mélangeant de la terre d'ombre.

Ci-dessus : le vert-jaune éteint de cette peinture primitive, dans une maison près de Grasse, pourrait disparaître dans un décor plus chargé. Ici, sa subtilité est rehaussée par les murs blancs, les étagères grises et la pierre naturelle du manteau de cheminée.

*Ci-contre : cette chambre à coucher anglaise utilise peu de couleurs pour créer une atmosphère délicate et printanière. La couleur la plus vive est le vert-jaune des coussins des sièges, des embrasses de rideaux et des petits motifs du papier peint. Le vert est assez fort, sans être saturé ni prédominant. La chaise peinte du XVIII*e *siècle apporte une petite note d'ocre dorée et les tapisseries encadrées ajoutent quelques touches de rouge et de vert moyens. Le mobilier en ébène donne de la force au décor, alors que les rideaux blanc cassé, les boiseries et le papier peint éclairent la pièce.*

***Page de droite :** comparé à celui de la chambre, le vert des murs de cette bibliothèque est quelque peu assourdi, comme le sont les rouges, les bleus et les jaunes du meuble peint et des reliures. L'égalité d'intensité entre les couleurs produit une harmonie reposante et douce. La bibliothèque — aujourd'hui à Charleston — a été peinte vers 1925 par Duncan Grant.*

Ci-contre : la principale couleur de cette pièce est un vert-jaune intense, recouvert d'un glacis brillant. Une nuance plus pâle est utilisée pour les sièges, et des teintes plus sombres et plus assourdies pour les autres tissus. La seconde couleur employée est la couleur complémentaire. Le rose vif des rideaux, le brun du coussin et le rouge profond du cabinet laqué chinois égayent la pièce.

Le mobilier doit nettement se détacher sur ces couleurs fortes. Le noir de la table, des sièges et du cabinet est donc bien choisi. Certaines zones de couleur neutre — parquet de bois et fond des rideaux — évitent que la pièce devienne trop chargée.

Pour reproduire la couleur murale, on utilisera un vert-jaune en sous-couche, puis un glacis vert légèrement plus sombre.

Ci-contre : cette collection de verres du XIXe siècle capte la lumière et crée une lumineuse ambiance vert-jaune. L'effet est rehaussé par la disposition délicate de fleurs de la même couleur : fenouil, euphorbe et alchémille.

Page de droite : dans la salle à manger de cette maison de campagne rénovée, on a mêlé avec bonheur des tons intenses et assourdis de vert-jaune avec la couleur terre cuite. Le premier mur visible quand on ouvre la porte d'entrée est peint d'un vert-jaune soutenu. Un mur peint en blanc cassé le sépare d'un autre peint en vert olive sombre. Une plinthe vert-gris ajoute une note plus claire. Le rouge-brun du carrelage et de la table du vestibule joue le rôle de la couleur complémentaire et le tapis associe ces deux couleurs avec un bleu sombre.

VERT OLIVE

Couleur terne, sombre et dense — une teinte assourdie du jaune ou du vert-jaune à tonalité froide —, le vert olive a été souvent employé en décoration intérieure au XVIIIe et au tout début du XIXe siècle. La mode néo-classique d'imiter le bronze patiné en soufflant de la poussière de bronze sur une peinture vert terne explique cette popularité. À la fin du XIXe siècle, on associa cette couleur avec de jolies teintes de jaune, de bleu et de rouge.

Le vert olive se marie bien avec sa complémentaire, l'écarlate, de même qu'avec les couleurs de terre les plus vives comme le rouge vénitien, le rouge indien et le rouge clair. Il s'harmonise en outre avec des jaunes clairs à tonalité froide et tout particulièrement avec l'or.

Ci-dessus : William de Morgan, céramiste de l'école Arts and Crafts, *a obtenu de riches nuances de vert olive pour ces carreaux de revêtement mural. Le pigment utilisé est l'oxyde de cuivre ; sa véritable couleur n'apparaît qu'à la cuisson.*

Ci-contre : les murs du salon de Wightwick Manor, près de Wolverhampton, sont tendus d'un tissu de soie et laine, décoré du motif « colombe et rose » créé par William Morris en 1879. L'intérêt de Morris pour l'artisanat traditionnel l'amena à n'utiliser que des colorants naturels comme la guède, l'indigo ou la garance, avec des résultats très harmonieux.

Page de droite : les murs et le plafond de ce cabinet de travail dans une maison de Bâle ont été tendus d'un fin tissu vert olive, qui sert de fond à une collection de tableaux et d'antiquités. De petites touches de rouge — la couleur complémentaire — animent le vert éteint.

Blanc, Brun et Noir

Ci-dessus : les jeux de lumière, de motifs, de matière et de contours — multipliés par l'immense miroir — donnent une qualité presque sculpturale à ce palier blanc. Couleur des plus simples, le blanc peut être employé pour souligner l'élégance de matériaux ou de formes différentes : ici, les murs entièrement blancs et les balustrades d'un blanc brillant s'harmonisent aux riches dorures du miroir et mettent en valeur les teintes dorées plus sourdes du bois naturel et des marches d'escalier.

Page de droite en haut : un lit à baldaquin, romantiquement drapé de blanc, constitue le point de mire de la pièce. Les tons de miel des carreaux andalous en céramique et le bois sombre du mobilier et des portes forment un agréable contraste avec la couleur blanche. Le résultat est frais et reposant. Par la porte ouverte, on aperçoit les douces collines du sud de l'Espagne.

Page de droite en bas : la simplicité du blanc peut permettre des harmonies délicates et romantiques. Des murs blanc cassé, de tonalité chaude, et un parquet de couleur naturelle donnent à cet ensemble un éclat très doux. Les motifs de la nappe brodée et la toile à matelas qui recouvre les sièges ajoutent de la profondeur et accrochent le regard. Une douce lumière filtre à travers les rideaux, soulignant le contour des objets et accentuant la brillance du parquet ciré.

BLANC

Sous sa forme la plus pure, le blanc est la couleur de la neige, de la craie et du lis. On l'a utilisé pendant des siècles dans de très nombreuses régions — sous forme de lait de chaux et de badigeon, par exemple — pour décorer aussi bien l'intérieur que l'extérieur des maisons. Le pigment blanc à base de plomb a été utilisé par les Romains et les Chinois depuis les temps les plus anciens, mais la plupart des peuples ont préparé leurs blancs à partir de la craie ou de la chaux.

Le blanc fut très à la mode pour les murs et les plafonds durant la seconde moitié du XVIIIe siècle ; on l'équilibrait alors par des dorures ou des couleurs plus puissantes. Ce blanc n'était pas vif et avait tendance à jaunir et à foncer avec le temps. Des tissus unis ou à motifs furent également utilisés ; les draps et dessus-de-lit blancs connaissaient un très grand succès. À la différence

des tissus actuels, blanchis chimiquement, ils étaient souvent étendus au soleil pour qu'ils s'éclaircissent naturellement.

Les chambres et le mobilier blancs, réalisés par Charles Rennie Mackintosh, dans les premières années du XXe siècle, s'opposèrent délibérément aux couleurs flamboyantes, riches et foncées du siècle précédent. Il fallut pourtant attendre les années vingt — grâce à la mise au point en 1919 de l'oxyde de titane, qui donnait un blanc plus vif et plus stable — pour que la couleur devînt vraiment à la mode et son usage plus répandu. Dans les années vingt et trente, des décors utilisant le blanc furent créés par des décorateurs de renom, comme Basil Ionidès, Syrie Maugham ou Elsie de Wolfe. Plus récemment, des décorateurs d'intérieur comme John Fowler ont utilisé de subtiles nuances de « blanc sale » sur différentes surfaces et moulures pour accentuer les variations de texture et obtenir une impression de profondeur et de contrastes.

La texture, les nuances et les tons des blancs utilisés en décoration varient, que ce soit en peinture, en tissus, en revêtements de sol ou en céramique. Ils peuvent s'associer à l'infini pour créer des atmosphères très différentes.

Ci-dessus : l'éclat de cette pièce, à Long Island près de New York, est atténué par le jeu des contrastes et des matières. Le blanc prédomine, mais il est animé par le tapis rustique de couleur crème et la douceur du parquet blanchi. Ces couleurs neutres mettent en valeur le mobilier de bois sombre, la cheminée noire et l'horloge murale ancienne. La disposition des lampes, des chandeliers et des tableaux ajoute symétrie et rigueur.

Page de droite : la lumière est l'élément essentiel de cet atelier de photographe installé à Melbourne en Australie, dans un ancien entrepôt : les percées du plafond et les portes coulissantes à la japonaise la laissent largement pénétrer et se réfléchir sur l'éclat blanc du carrelage de céramique pour accentuer l'impression de grandeur et d'élégance. Le mobilier est réduit au minimum. Deux piédestals en marbre, de chaque côté des portes, soutiennent des statues balinaises. L'angle droit de la pièce est occupé par une élégante bergère ancienne. Les fenêtres et les portes sont tendues de rideaux blanc cassé, qui apportent la douceur et le contraste de leur matière. Les portes coulissantes s'ouvrent sur une cour intérieure peinte de couleur vert d'eau, qui semble pénétrer à l'intérieur.

CRÈME

Le crème est l'une des couleurs les plus faciles à utiliser en décoration ; il se marie avec de nombreux styles, de l'intérieur classique et luxueux à la simplicité d'un intérieur modeste.

Cette couleur a été à la mode au XVIIIe siècle, souvent équilibrée par des ornements dorés. On l'utilisait en peinture — sur des colonnes ou des alcôves — mais aussi pour des tissus de siège et des panneaux moirés sur les murs. Des intérieurs de couleur crème, où les tissus et le mobilier étaient aussi importants que la peinture, furent également à la mode dans les années trente.

Ci-dessus : dans le salon de Huntingdon Castle en Irlande, de la fin du XVIIe siècle, la couleur crème a été employée pour rehausser l'atmosphère ancienne. La symétrie du manteau de cheminée et la disposition des objets en porcelaine ressortent à merveille sur l'enduit irrégulier des murs peints de couleur crème. Les contrastes de matières, de surfaces et de formes attirent le regard. Les touches de vert et de rouge sur les plats constituent un contraste discret mais efficace avec l'harmonie subtile du bois, des dorures et de la couleur crème.

Ci-contre : des arrangements de blanc ton sur ton peuvent donner des effets surprenants et recherchés. Divers tons de crème et de blanc sont employés pour les murs et les garnitures de ce salon de style Empire. Les tons sombres des tableaux et le bois laqué contrastent de façon audacieuse sur ces couleurs neutres et définissent la pièce avec rigueur.

Page de droite : les lignes simples de cette pièce moderne sont empreintes d'élégance classique grâce à l'emploi de couleurs crème et neutres, et d'une zone noire très contrastée. Les tons pâles du sofa, des étagères et du mur sont modulés par le parquet blanchi et le mur badigeonné de gris derrière la cheminée.

Le style Art déco employa souvent la couleur crème, avec des touches de couleurs plus dominantes comme le turquoise, le mauve, l'orange ou le vert-jaune.

Couleur neutre, de tonalité chaude, le crème s'harmonise avec la plupart des autres couleurs, à l'exception des couleurs primaires saturées qui risquent de masquer son éclat délicat. Le crème fait beaucoup d'effet à côté de couleurs très contrastées : vert foncé, bleu sombre ou noir. Des ornements dorés donneront une atmosphère classique et élégante. Dans une pièce, le crème est souvent utilisé comme couleur principale, ou comme lien optique entre des couleurs plus soutenues ; on peut le préparer en mélangeant à du blanc une touche d'ocre-jaune ou de jaune de Naples.

Ci-dessus : *les teintes veloutées de ce bas-relief néo-classique, usé par le temps, résument bien l'élégance intemporelle de la couleur crème.*

Ci-contre : *une subtile harmonie de matières, de couleurs et de lumière a été obtenue dans cette pièce grâce à l'utilisation de matériaux naturels colorés de diverses nuances de couleur crème. Une touche d'ocre, mélangée au blanc, donne de la chaleur aux murs. La lumière passe à travers les lames des stores vénitiens en bambou et se reflète sur le vernis des vases.*

Page de gauche : *une atmosphère légère et romantique a été créée par le ton gris anthracite des motifs qui se détachent sur le fond crème, loin des effets durs généralement associés aux couleurs sombres. Le motif du papier peint rappelle les entrelacs de la dentelle espagnole ou les broderies élisabéthaines. Ces deux couleurs s'harmonisent bien avec le brun du siège en bois et du sol, et la lanterne en cuivre en forme d'étoile, de style mauresque.*

BRUN

Le brun a une vaste gamme de teintes ; les diverses nuances de jaune, orange, rouge et violet permettent d'obtenir de superbes variations.

Vers le milieu du XVIIe siècle, différentes teintes de brun apparurent dans la décoration par le moyen de lambrissages et d'incrustations. Les nuances fortes et sombres du début du XVIIIe siècle comprenaient des peintures d'un brun profond et des tissus imprimés bruns. Souvent associée au doré, chamois ou mauve, cette couleur fut également très utilisée à l'époque victorienne, quand les intérieurs chargés et richement meublés étaient à la mode.

La souplesse d'adaptation du brun à tonalité chaude ou froide, permet de l'employer pour équilibrer des couleurs fortes, exotiques ou vibrantes comme le rose ou le turquoise vif qui, autrement, seraient assez difficiles à coordonner. On l'utilisera pour atténuer des rouges, des bleus ou des verts puissants et avec du blanc crémeux pour obtenir un effet chaleureux et accueillant.

Les bruns se préparent à partir de pigments de terre d'ombre naturelle ou brûlée.

Ci-dessus : ces tabatières en forme de chaussure — dont certaines datent de 1730 — sont fabriquées en diverses essences de bois, du citronnier à l'acajou poli et à l'ébène. Cette collection offre toute la gamme des bruns à tonalité chaude, équilibrée par les rouges, les verts et les jaunes qui l'entourent.

Ci-contre : des couleurs épicées ont été employées pour créer l'intimité élégante de cette chambre. Le lit de camp anglais du XVIIIe siècle est tendu de rideaux doublés de soie rayée, d'une chaude couleur terre de Sienne ; le lit est couvert d'un dessus-de-lit en chintz brun du XIXe siècle. Les couleurs du papier peint français à fleurs sont reprises par la peinture vert-gris et les abat-jour jaunes de la pièce voisine.

Page de droite : on a ici un excellent exemple de la simplicité rustique que l'on peut obtenir en utilisant plusieurs nuances de brun sur des matières différentes. Les bois sombres, le pin raboté et le revêtement de sol s'harmonisent avec les teintes brun moyen et jaune-crème des peintures. La moulure d'acajou brun donne une unité à l'ensemble de la pièce.

Page de gauche : la salle à manger de cette maison en teck montre comment des bois sombres, d'un brun soutenu, peuvent s'harmoniser dans n'importe quel intérieur. Alors que les teintes sombres paraissent froides et apaisantes, c'est ici la chaleur du bois poli qui prédomine. Cette richesse du bois est contrastée par la délicatesse des porcelaines chinoises de l'époque Ming.

Ci-dessous à gauche : cette chambre à coucher a été aménagée dans une grange de style hollandais du XVIIIe siècle, transportée du New Jersey jusqu'à un nouvel emplacement à East Hampton. Lors de la reconstruction, les planches en chêne ont été retournées, de façon à ce que la patine extérieure, vieille de deux siècles, apparaisse à l'intérieur. Les différents tons de brun des anciennes parois de bois illustrent la qualité reposante et naturelle de cette couleur.

Ci-contre : cette étagère peinte est entourée de gravures bistrées et noires, rehaussées de rose. Le motif de la bordure ajourée des plats en porcelaine est repris dans les couleurs et le dessin du papier peint. C'est un bon exemple de brun simple et élégant.

Ci-dessous à droite : le papier peint aux tons abricot pâle ajoute sa chaleur à l'ancien couvre-lit piqué brun orangé. Des rideaux en chintz reprennent ces deux teintes ainsi que le bleu de la chaise d'époque victorienne. Le blanc empesé des draps brodés et quelques touches de bleu équilibrent les tonalités chaudes du brun et de l'abricot.

LES COULEURS NEUTRES

Les couleurs neutres, sombres ou claires, sont des teintes mélangées ou dégradées, dérivées le plus souvent de gris ou de bruns, telles que le fauve, bise, beige ou pierre. D'autres — biscuit, sable, poil-de-chameau et chamois — tirent légèrement sur le jaune ; le beige rosé et le kaki résultent de mélanges plus complexes.

La couleur pierre a été très utilisée à l'époque de Palladio ; on la préparait à partir de blanc de céruse mélangé à des pigments de terre de Sienne ou de terre d'ombre. Ce fut, au XVIIIe siècle, avec le vert pomme, la principale couleur de décoration intérieure. Après avoir été broyée dans de l'huile de noix, la couleur était appliquée en couches successives sur les boiseries et sur les murs. La couleur bise, sorte de brun clair ou de brun-jaune terne, est très présente dans l'histoire de la décoration. Une édition de

Ci-dessus : les éléments décoratifs de cette pièce « gothique » ont été peints en blanc pour donner de la fraîcheur aux murs d'un rosé très doux. Le bleu et blanc de la vaisselle chinoise, les reliures très colorées des livres et le contour peint des petits panneaux donnent de la vivacité aux tons neutres et délicats de la pièce.

Ci-contre : les couleurs naturelles neutres, associées en dégradés de tons, sont d'une douceur apaisante. Ici, un paysage en tapisserie sert de toile de fond à un bahut en chêne gris-brun sur lequel sont disposés des assortiments de pommes de pin, de fleurs et d'herbes séchées.

Page de droite : la lumière, l'espace et la simplicité caractérisent cette chambre d'amis d'une maison de Nantucket aux États-Unis. Les murs peints d'un blanc-crème et le plancher en chêne cérusé sont équilibrés par le gris-vert des encadrements de fenêtres, des appuis et des plinthes. Le propriétaire a gratté puis brûlé l'ancienne peinture, avant de poncer le bois en y laissant des traces de peinture, révélant ainsi sa couleur neutre de gris-vert sombre.

1876 du magazine *Queen*, décrit une harmonie de couleurs idéale pour un appartement de l'époque :

« Vestibule et escalier : sobre couleur bise tirant sur le jaune et hauts lambris rouges avec deux lignes de blanc.

« Salle à manger : murs de couleur bise sombre, avec de hauts lambris mauves et bis en couleurs alternées. »

John Fowler et Nancy Lancaster utilisaient toute une gamme de couleurs neutres — teintes bise, taupe et kaki — pour donner de la profondeur et de l'élégance à leurs décorations.

Ces nuances douces et assourdies se marient bien avec des surfaces et des matières naturelles. Le bois brut, le chêne cérusé, le pin raboté, les tapis de coco, le jute peuvent constituer les bases d'harmonies de couleurs neutres.

Celles-ci s'harmonisent bien entre elles, de même qu'avec des harmonies monochromes ou polychromes. On les utilise souvent pour séparer deux couleurs, ou pour atténuer leur effet de voisinage, assurant à la fois la ponctuation et le changement de rythme à l'intérieur d'une pièce. Les intérieurs utilisant uniquement des couleurs neutres sont apaisants et faciles à décorer.

Page de gauche : les couleurs pâles et froides, utilisées pour cette chambre à coucher, rehaussent l'effet de lumière qui vient de la fenêtre. Les somptueux rideaux damassés à motifs bleu sombre et un dessus-de-lit du XVIIIe siècle ajoutent de la profondeur et donnent à la pièce son cachet. Le tapis de coco qui recouvre le sol et les murs de couleur neutre, légèrement teintés de vert, donnent une impression d'espace à la pièce.

Ci-dessus : un magnifique décor en trompe-l'œil orne les murs de cette élégante salle de bains. La chaleur du « tissu » est équilibrée par la froideur de l'effet de « pierre ». La pièce a été peinte avec de la peinture à l'huile en deux tons de chamois, fondus avec un glacis transparent puis recouverte d'une couche de vernis polyuréthane. Les couleurs révèlent une gamme délicate et légère de gris, de sable et de beige.

Ci-contre : le contraste des matières des murs, du sol et des garnitures de siège anime les couleurs pâles de cette pièce. Les murs, décorés d'un trompe-l'œil imitant la pierre, et le dessus en marbre de la table sont équilibrés par l'aspect moins sévère des fauteuils et des petites tables. Les tons neutres et la symétrie du décor donnent à la pièce une apparence classique. Les tissus éclatants du fauteuil et du pouf ajoutent l'indispensable note de chaleur et de couleur dans ce décor sophistiqué.

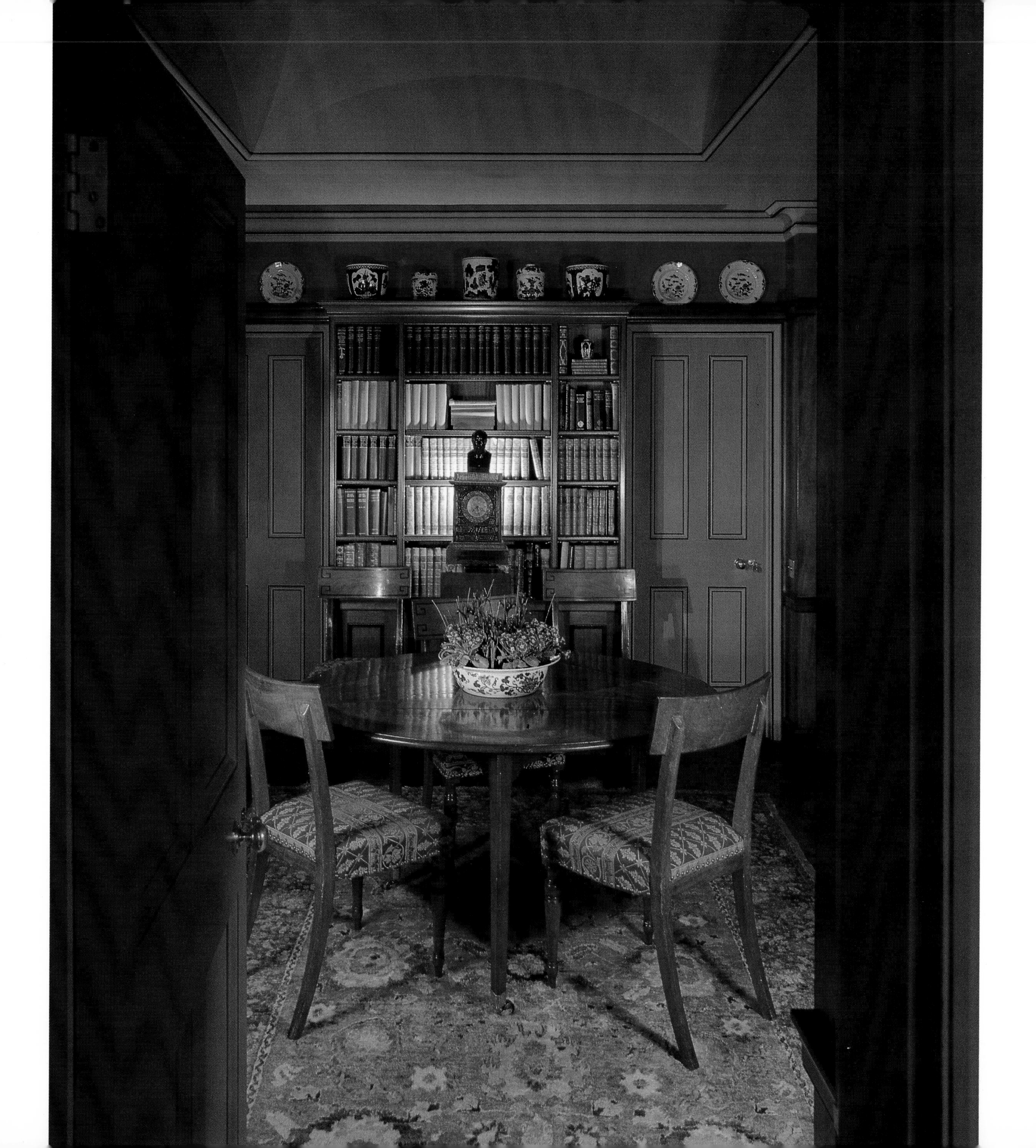

GRIS

La vaste gamme des gris va des tons brun-vert ou rosés — combinaisons souvent très élaborées et à tonalité chaude — jusqu'aux teintes plus froides à base de mélange de bleus ou de noirs et blancs.

Pour marquer le retour à la simplicité et à l'harmonie du décor classique, des moulures grises ont été employées dans les intérieurs Renaissance afin d'équilibrer les murs revêtus d'enduit blanc. Au début du XVIIIe siècle, le gris faisait partie du petit nombre des peintures facilement disponibles.

La texture et la finition choisies pour les gris sont très importantes : une peinture brillante ou satinée donnera les meilleurs effets. Le gris peut être une couleur froide et sophistiquée, mais on peut la rendre douce, apaisante et chaude, spécialement quand on utilise des nuances de gris-rose. Le gris s'harmonise bien avec la plupart des autres couleurs, y compris le rose, le bleu pâle, le vert vif et le vermillon.

Page de gauche : dans ce cabinet de travail à la fois somptueux et intime, la richesse des couleurs recherchées se marie admirablement avec les gris-vert. Les murs laqués de rouge orangé profond, les rouges et les bruns chauds du bois et du tapis sont équilibrés par le gris des portes et du plafond. Pour donner de la profondeur et du relief, trois tons de gris-vert ont été utilisés : des tons sombres et moyens pour les panneaux des portes et le plus clair pour le plafond. Une collection de céramiques chinoises ajoute de la fraîcheur à l'ensemble.

Ci-dessus : cette pièce déploie une gamme subtile et nuancée de gris-vert. La couleur des panneaux est une peinture à l'huile avec un glacis au vernis ; un ton plus clair est employé pour le plafond, et un ton plus clair encore pour la corniche. Les cadres sombres des planches de botanique se détachent avec distinction sur le gris, alors que la cheminée noire, le lustre, les sièges Chippendale et le plancher de bois contribuent à donner de la profondeur et de l'unité à l'ensemble du décor. La tapisserie d'Aubusson et les stores damassés en tissu vieux rose rajoutent une note de chaleur qui convient bien à la pièce.

Ci-contre : un vernis en glacis gris pâle a été appliqué sur les murs de cette salle de bains pour lui donner une apparence fraîche et nette. Une frise délicatement exécutée au pochoir rappelle la dentelle grecque ancienne de la fenêtre. Les sombres boiseries en chêne teinté donnent de la profondeur à la pièce.

Ci-dessus : cette toile de James McNeill Whistler, Miss Cecily Alexander : harmonie en gris et vert, *résume assez bien la délicatesse et la subtilité des effets que l'on peut obtenir en utilisant une gamme de gris froids dans des tons et des matières différentes.*

Ci-dessous : ici, on a peint le fer forgé de cet escalier en gris froid, ce qui fait ressortir le dessin de la balustrade sur les couleurs douces et variantes du mur. Le rose délicat de la paroi supérieure et le rose-crème marbré de la paroi inférieure constituent un fond doux et chaud. Cet élégant escalier, dans une maison classique, offre ainsi une harmonie de couleurs douces et raffinées.

Page de droite : une gamme de gris-bleu a été utilisée pour réaliser le rideau en trompe-l'œil qui décore le mur de cette originale chambre à coucher. Malgré la froideur apparente des gris, les ondulations et les plis du faux rideau révèlent une chaleur implicite. Grâce aux tons neutres des autres teintes — draps blancs, argenterie, pin naturel, céramiques et sol gris —, l'atmosphère de la pièce est paisible, et aucune couleur ne prédomine au détriment des autres.

GRILLE de CLÔTURE du CHOEUR

NOIR ET BLANC

L'association du noir et du blanc est un ancien procédé de décoration, simple mais efficace : le noir semble « avancer », le blanc « reculer », et ces deux couleurs s'harmonisent très bien car elles sont totalement opposées et offrent ainsi le plus fort contraste visuel.

C'est une association qui peut être utilisée de multiples façons, mais l'œil sera particulièrement attiré par les formes géométriques – carrelage de murs ou de sol, par exemple – selon le dessin des broderies élisabéthaines ou encore pour des intérieurs « minimalistes » qui emploient des objets et des matériaux modernes.

Le noir et le blanc combinés peuvent être mariés à d'autres couleurs, utilisées en touches discrètes, afin de ne pas détourner l'attention de l'effet principal. Les couleurs claires conviendront mieux, en particulier des teintes fortes et intenses comme l'écarlate ou l'or.

Ci-dessus : en Europe, les carrelages noirs et blancs sont utilisés depuis longtemps dans la décoration intérieure. Ce tableau de Gonzalès Coques, qui représente un intérieur hollandais du début du XVIIe siècle, illustre le contraste créé par le carrelage noir et blanc, les tapisseries très colorées et les lambris dorés. Les éléments de décoration en cuivre s'harmonisent également très bien avec le noir et blanc.

Ci-contre : une association différente de bois et de carrelage noir et blanc est utilisée dans le vestibule de cette maison thaïlandaise. Les tons chauds et puissants du bois, avec leur nuance légèrement rouge et leur éclat brillant, équilibrent le sol en marbre italien, créant un espace chaud et accueillant.

Ci-contre : l'effet spectaculaire et net du noir et blanc convient bien aux motifs géométriques. Dans le « coin salon » de cette maison américaine, de petites surfaces et de fortes lignes de noir donnent l'équilibre, la proportion et la définition à cet espace où prédomine le blanc. Des touches d'ocre, de doré et de cuivre ajoutent de subtiles variétés de matières.

Ci-dessous à droite : les mêmes couleurs, employées avec un effet différent, ont été utilisées dans la cuisine où la gamme des noirs prédomine. Les tons blancs et neutres amplifient les effets de lumière ; le cuivre, le laiton, le bois et la terre cuite ajoutent des notes de chaleur.

Ci-dessous à gauche : dans cette élégante salle de bains, l'opposition des couleurs est plus rigoureuse grâce à une moquette noire et un jeu de carreaux et de lignes noirs sur fond blanc. Réminiscence du style Art déco, le décor est à la fois simple et austère.

Page de gauche : cette salle à manger d'un château de la fin du XVIIIe *siècle, près du Mans, illustre quelques variations sur le thème du noir et blanc. Les blancs, de teintes, de textures et de matières diverses, sont équilibrés par quelques rares touches de noir. Un ancien poêle en faïence hollandais voisine avec des consoles aux lignes douces, sur un mur de couleur crème. Les détails noirs du poêle rivalisent avec les carreaux noirs du sol : cette opposition donne de la force et de la définition à cet arrangement.*

Ci-contre : le long couloir étroit de cette ancienne poudrerie, construite en 1793, se prêtait à une décoration spectaculaire. Les lignes droites du vestibule sont marquées par une accentuation du contraste entre le noir et le blanc : le blanc des murs, du plafond et des boiseries équilibre le dessus-de-table en granit, son plat d'argent et sa collection de sphères en marbre noir. Une moquette beige-crème pâle apporte une nuance au thème noir et blanc de l'ensemble. Des éclairages halogènes encastrés délimitent des ombres fortes, alors que des éclairages au tungstène, disposés dans des colonnes étroites de part et d'autre du vestibule, donnent une lumière générale plus douce. Des miroirs encadrés de noir permettent de créer une illusion d'espace. Avec ses lithographies contemporaines, ce couloir ressemble à une galerie d'exposition.

NOIR

Il y a plusieurs degrés et plusieurs tons de noir : des noir-gris adoucis, des noir-brun tirant sur le rouge, des noirs bleutés à tonalité froide. Les appellations « anthracite », « ébène » et « jais » désignent les tons les plus sombres.

Jusqu'au XXe siècle, le noir fut le plus souvent utilisé pour des tissus ou des ornements. En Angleterre, dans les années vingt, le noir fut très à la mode et utilisé comme couleur de fond pour les tissus comme le chintz et le damassé, mais aussi de façon plus audacieuse pour les murs et les plafonds.

Absorbant toute la lumière, le noir est une couleur texturée : une surface noir mat est dense, une surface noir brillant reflète la lumière et a plus d'intensité. Le noir anime aussi les autres couleurs ; utilisé pour des détails, il ajoutera de la vigueur et de la définition à une pièce.

***Page de gauche :** le noir est une couleur très puissante pour les murs d'une pièce de cette dimension, mais un usage étudié de l'espace et de la décoration crée une atmosphère d'intimité luxueuse. Les surfaces brillantes et réfléchissantes accentuent l'effet de la lumière, alors que l'aspect laqué des murs donne un relief spectaculaire au blanc, au jaune et aux ors des éléments décoratifs. Les lampes du plafond permettent à la lumière de se refléter sur toutes les surfaces possibles, tandis qu'un grand miroir donne de la profondeur à la salle de bains en réfléchissant la lumière qui passe à travers les stores. Le sol et les volets intérieurs en pin, les tissus et les étoffes introduisent des motifs et des textures variés.*

***Ci-contre :** le sol et les équipements noirs de jais créent l'impression de fonctionnalisme de cette cuisine. Les lignes très géométriques de la pièce — apparentes dans le quadrillage du revêtement des murs et du plafond, les stores vénitiens, la rampe d'éclairage et le sol carrelé — accentuent l'effet de densité du noir. Les nuances d'or pâle de la porte en bois, des étagères et des accessoires, équilibrent le noir et aident à définir la pièce.*

***Page suivante :** les murs noirs de la salle à manger de Charleston permettent aux couleurs des céramiques, des tableaux et du mobilier de ressortir avec netteté. Des rouges mats et de terre, des verts, des ocres et des zones de couleur neutre — le plafond blanchi à la chaux et le revêtement de sol en fibres de coco — évitent que le noir ne devienne prédominant et donnent à la pièce une atmosphère rustique et informelle. La table ronde gris-vert — peinte par Vanessa Bell dans les années cinquante — avec sa bordure blanche et noire, forme un lien avec les murs et la porte peinte en gris.*

12
14
16
18
20
LES
PALETTES
20
18
16
14
12

LES COULEURS DE TERRE

Ces couleurs, dérivées de pigments naturels, appartiennent à la même gamme de tons et s'harmonisent très bien. Elles tirent sur le brun, avec des touches de rouge, de jaune ou de vert. Les bleus, les pourpres et les verts vifs sont plus rares, mais le blanc et le noir se trouvent en abondance : craie, chaux, charbon de bois et suie.

Cette palette de base a été celle de presque toutes les cultures du monde et les couleurs ont été utilisées pour toutes les formes de décoration.

Avant l'époque de la production de masse, chaque communauté dépendait essentiellement des couleurs disponibles sur place. Ces particularités régionales survivent dans le nom de certains pigments : ocre d'Oxford, rose vénitien, terre de Sienne.

Certaines de ces couleurs de terre peuvent être assez vives, mais elles ne sont jamais crues. En décoration, elles sont souvent employées en opposition ou mélangées à de grandes quantités de blanc. Dans certaines régions, on ajoute directement des pigments de terre à l'enduit des murs, pour éviter de les peindre. Ailleurs, les pigments sont mêlés à n'importe quel support plus ou moins blanc, pour obtenir une teinte délicatement colorée. À l'est de la Grande-Bretagne, par exemple, du rouge est ajouté au lait de chaux pour donner aux maisons leur couleur rose si caractéristique.

Ci-dessous à gauche : *décoration murale peinte dans l'État d'Orissa en Inde (avec la permission de Barbara Lloyd)* ***; ci-dessous à droite :*** *les fresques de l'antichambre de la villa Querini, près de Venise, qui date du début du XVIe siècle.*

Page de droite en haut : *objets artisanaux aborigènes, dans une maison australienne datant des années 1850* ***; en bas à gauche :*** *façades et toits de maisons dans un fjord norvégien* ***; en bas à droite :*** *serre dans une maison des Cotswolds en Angleterre.*

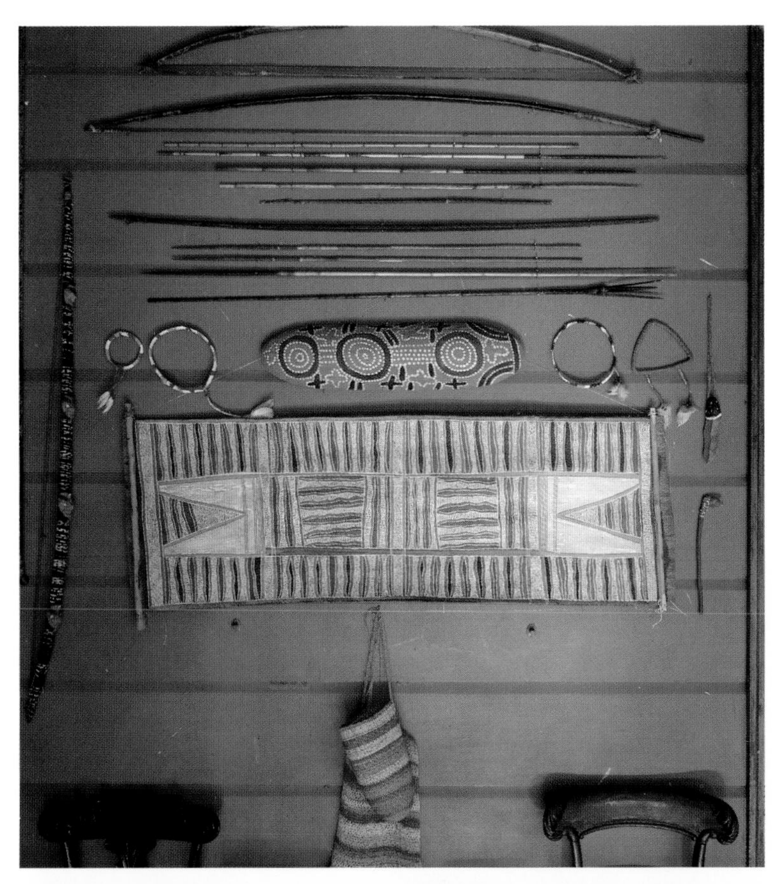

LES COULEURS RARES

Les couleurs rares et coûteuses, plus intenses et plus chatoyantes que les pigments de terre communs, ont toujours eu du succès. Elles sont généralement tirées de minéraux comme le lapis-lazuli, la malachite, le réalgar, l'orpiment, le vermillon et l'azurite. Là où ces minéraux précieux n'étaient pas — et ne sont toujours pas — disponibles, des couleurs plus vives étaient souvent utilisées. Les Aztèques, par exemple, extrayaient un colorant rouge vif, le carmin, des cochenilles.

Sous leur forme pure, ces couleurs étaient très coûteuses et l'on s'en servait avec parcimonie dans la décoration intérieure. Aux XVIIIe et XIXe siècles, les progrès de la chimie permirent de produire des couleurs intenses à moindres frais. Progressivement, les anciennes couleurs minérales furent remplacées par des substituts plus facilement disponibles : le lapis-lazuli par le bleu outremer, la malachite par le vert anglais, l'orpiment et le réalgar par le jaune de cadmium, le vermillon et le cinabre par le rouge de cadmium. Bien que les originaux de ces couleurs n'existent plus dans la décoration, les céramiques et autres objets d'art peuvent servir d'inspiration pour l'emploi de leurs équivalents modernes dans la décoration contemporaine.

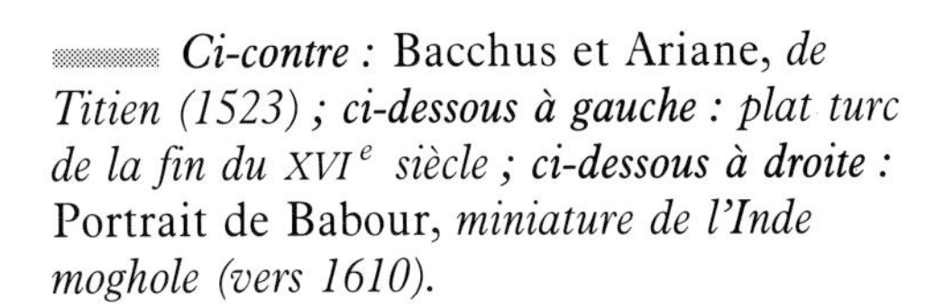

Ci-contre : Bacchus et Ariane, *de Titien (1523) ; **ci-dessous à gauche :** plat turc de la fin du* XVIe *siècle ; **ci-dessous à droite :*** Portrait de Babour, *miniature de l'Inde moghole (vers 1610).*

Page de gauche en haut : La Vierge et l'Enfant, *de Duccio (vers 1300) ; **en bas :** salle à manger du* XVIIIe *siècle de Bantry House dans le comté de Cork en Irlande du Sud.*

LES COULEURS TRADITIONNELLES

En Europe et en Amérique du Nord, au XVIIIe siècle, une gamme limitée de couleurs de terre assez assourdies et ternes fut employée pour les murs, les plafonds, les boiseries et le mobilier.

Les verts et les bruns prédominaient et une variété de vert terne moyen — vert « géorgien » — fut très populaire dans le nord de l'Europe pour les pièces lambrissées.

Ces couleurs étaient associées avec des nuances neutres de même ton : teintes bises, grises, mastic et blanc cassé mélangées et préparées à partir de la terre d'ombre.

Ci-dessus à gauche : chambre à coucher et antichambre du manoir de Skogaholm, près de Stockholm ; ci-dessus à droite : pièce d'une maison écossaise du XVIIIe siècle ; ci-contre : étage mansardé d'une maison restaurée du XIXe siècle, en Caroline du Nord.

Page de gauche, en haut : La Modiste, *de Boucher, tableau de la fin des années 1740 ; en bas :* Le Duo, *d'Arthur Devis, « tableau de genre » de 1749.*

LE ROCOCO

Dans l'Europe du début du XVIIIe siècle, la splendeur du baroque commença de céder le pas à un style tout aussi ornemental, mais plus léger et plus fantaisiste dans la couleur et le dessin. Les tableaux de Boucher et de Watteau résument assez bien les couleurs et l'atmosphère de ce nouveau style, le rococo.

Durant cette période, la palette des décorateurs fut caractérisée par des tons pastel délicats. Madame de Pompadour, maîtresse de Louis XV, influença la décoration intérieure, redonna vie à la manufacture des tapisseries d'Aubusson et fonda les ateliers de porcelaine de Sèvres. « Rose poudreux », « vert pomme », « lilas », « bleu Pompadour », « or d'Orient », « bleu de Sèvres », « rose Pompadour » et « blanc de nuage » illustrent assez bien l'atmosphère de légèreté et d'élégance de la période.

Page de gauche en haut : « *Projet de trône avec baldaquin* », *attribué à Sir William Chambers RA, vers 1782 ;* ***en bas :*** *hall du manoir de Lebell, en Finlande, du* XVIIIe *siècle.*

Ci-dessous à gauche : *carton pour une tapisserie de Beauvais du* XVIIIe *siècle, d'après Boucher ;* ***ci-dessous à droite :*** *salon d'une maison londonienne ;* ***ci-contre :*** *dans cette pièce moderne, le papier peint et les tissus sont inspirés d'un modèle* « *Réveillon* » *du* XVIIIe *siècle.*

LES COULEURS VIVES

Vers la fin du XVIIIe siècle et au début du XIXe, on assista à un renouveau d'intérêt pour l'architecture et la décoration de l'Antiquité classique. Des décorateurs comme Robert Adam en Angleterre utilisèrent les couleurs vives et brillantes qu'ils avaient vues en Italie — rouges, lilas, terre cuite, bleus et verts nets — dans leurs projets novateurs de décoration intérieure.

L'intérêt de Napoléon pour ce renouveau classique favorisa l'utilisation de couleurs encore plus prononcées et l'on abandonna les teintes subtiles du rococo. La mise au point par des procédés chimiques de couleurs très vives élargit considérablement la palette disponible. Le style Empire utilisait des couleurs brillantes — vert profond, pourpre, jaune citron, rouge rubis — avec des fonds blancs et des motifs dorés.

Ci-contre : salon de style Empire ; ***ci-dessous à gauche :*** *projet de plafond pour un salon, par Robert Adam, aquarelle de 1762 ;* ***ci-dessous à droite :*** *dessin de coton français imprimé, vers 1810-1815.*

Page de gauche en haut : *pièce de réception et vestibule de Homewood House, près de Baltimore, du début du* XIXe *siècle ;* ***en bas :*** *illustration tirée de* Dessins d'ameublement, *de Théodore Pasquier, Paris, vers 1830.*

LES COULEURS DE L'ÉPOQUE VICTORIENNE

Les peintres et décorateurs de l'époque victorienne disposaient de plus de couleurs que leurs prédécesseurs. La découverte de colorants synthétiques à l'aniline, en 1856, créa toute une gamme de pourpres et de roses brillants. L'introduction du rouge à l'alizarine, du vert anglais, du bleu céruléen et du vert à l'oxyde de chrome eut aussi un effet considérable pour la décoration. On associait nombre de couleurs et de motifs pour créer des harmonies polychromes de teintes plus sombres que celles des décors Régence.

Ci-dessus : La Consolation, *par Knut Ekwall.*

Page de gauche en haut à gauche : *projet de plafond du XIXe siècle pour un cabinet de travail parisien, vers 1877 ;* ***en bas à gauche :*** *projet de papier peint, tiré de* Studies in Design, *du Dr Christopher Dresser, 1876 ;* ***à droite :*** La Fête de la grand-mère, *de J.K. Dykmans, 1867.*

LES COLORANTS NATURELS

Ci-dessous à gauche : doublure de coton imprimé persan du XIXe siècle pour une veste de soie ; ci-dessous à droite : store en tissu africain, teint à la main avec de la pâte de manioc.

Page de droite en haut à gauche : « Les Voleurs de fraises », coton imprimé dessiné par William Morris en 1883 ; en haut à droite : manoir de Wightwick en Grande-Bretagne ; en bas : échantillons de laines teintes de couleurs naturelles.

Jusqu'au milieu du XIXe siècle, presque tous les tissus étaient teintés avec les colorants naturels disponibles sur place. Les calicots indiens étaient teintés à l'indigo (bleu), aux écorces de grenade (vert) et au safran (jaune). En Europe et en Amérique du Nord, d'autres plantes étaient utilisées : le troène et le tournesol donnaient du jaune, le sceau de Salomon du vert, la guède du bleu et la racine de garance du rouge. À l'origine, le fameux « Harris Tweed » était teint avec des extraits de mousse et de lichen. Ces couleurs n'avaient ni la riche harmonie des couleurs de terre, ni l'intensité des pigments minéraux, mais elles possédaient une tonalité douce et agréable.

La découverte des colorants synthétiques, à l'époque victorienne, rendit accessibles les couleurs vives, mais souvent au détriment de la délicatesse des teintes. William Morris et les autres membres du mouvement Arts and Crafts réagirent contre cette tendance et réaffirmèrent les vertus des sources naturelles et des méthodes traditionnelles.

L'emploi des teintures végétales et les motifs éclatants de ses tissus et papiers peints ont assuré aux créations de William Morris leur popularité au XIXe siècle et même encore aujourd'hui. De nombreux stylistes actuels ont tiré parti des tons séduisants que donnent les colorants naturels.

LES STYLES
ballets russes et Art déco

Au début du siècle, les stylistes commencèrent à employer une large palette de couleurs intenses et vives. Les ballets russes de Diaghilev vinrent à Paris en 1909 et introduisirent en Europe occidentale tout l'héritage de l'art décoratif russe. Pour ses décors flamboyants, Léon Bakst utilisait l'or et l'argent, des verts émeraude et des vert-jaune éclatants, des lilas, des pourpres et des oranges vifs, associés à des noirs et des bleus nuit pour accentuer leur brillance et leur éclat.

Le style Art déco, présenté pour la première fois à l'Exposition universelle de 1925 à Paris, était moins flamboyant que les réalisations de Bakst. Ses couleurs étaient l'orange et le vert, ce dernier variant du céladon au vert menthe.

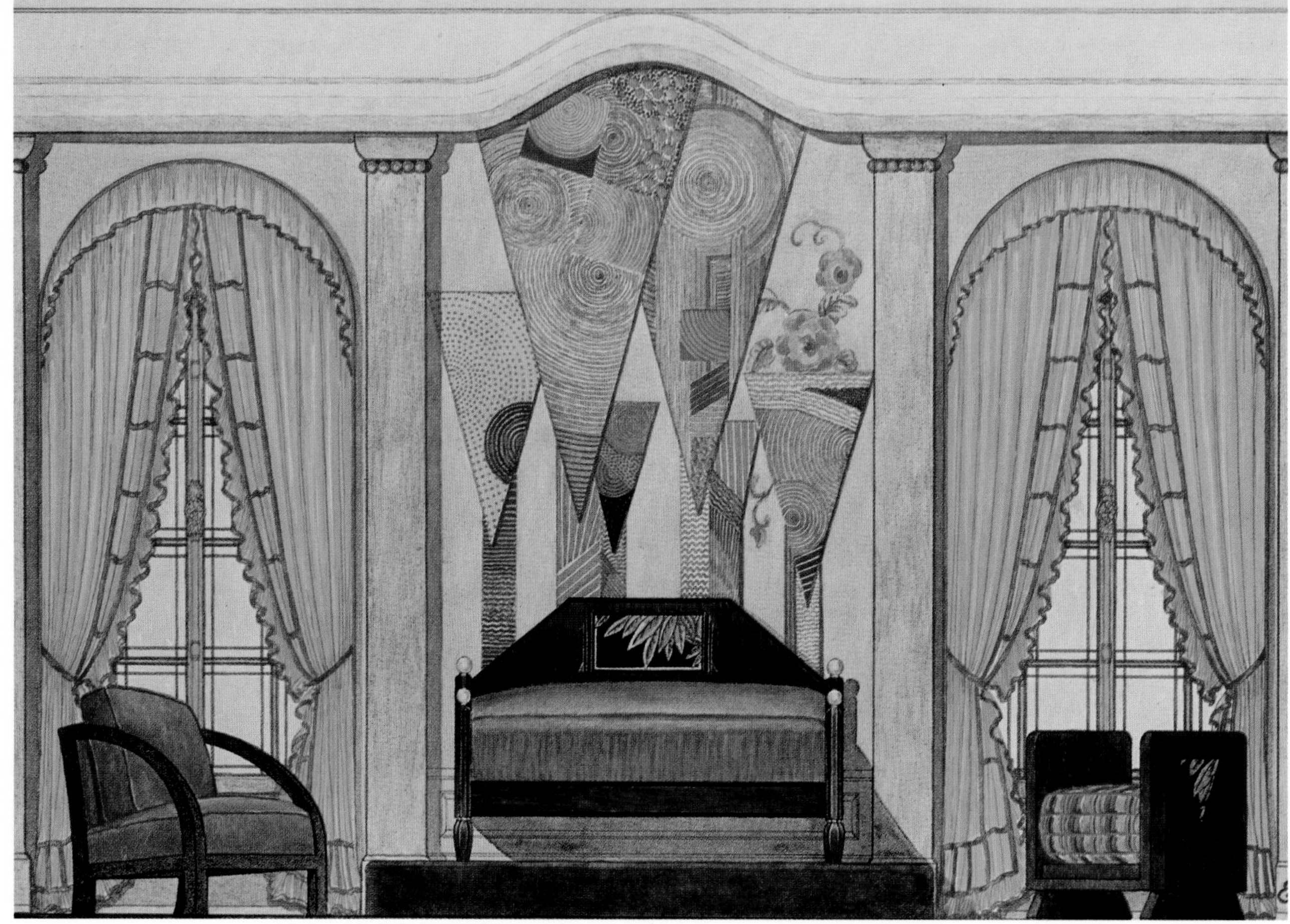

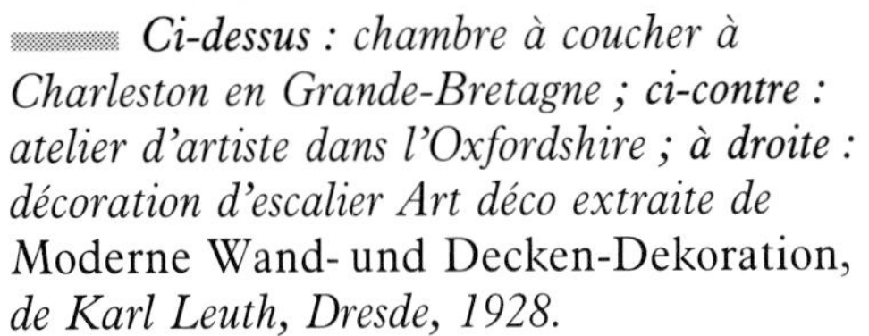

Ci-dessus : chambre à coucher à Charleston en Grande-Bretagne ; ci-contre : atelier d'artiste dans l'Oxfordshire ; à droite : décoration d'escalier Art déco extraite de Moderne Wand- und Decken-Dekoration, *de Karl Leuth, Dresde, 1928.*

Page de gauche en haut : service de table dessiné par Laura Knight dans les années trente ; en bas : « Chambre à coucher moderne de couleurs vives », illustration extraite de Decorative Draperies and Upholstery, *de Edward Thorne, 1929.*

LES COULEURS DES TROPIQUES

Sous les Tropiques, la décoration exige souvent des couleurs fortes et vives, capables de résister à l'éclat du soleil comme à la profondeur des ombres.

La gamme des couleurs tropicales est vaste — et même confuse — mais le mélange de rouges, de bleus, de verts et de jaunes associe des couleurs de même éclat et de même intensité. La crudité de la lumière tropicale efface souvent la précision des nuances et permet de combiner un turquoise vif avec un outremer chaud, ou un rouge écarlate avec un cramoisi. Les couleurs tropicales n'ont pas l'agressivité des couleurs primaires et secondaires pures.

Ci-dessus : Anglais sur un éléphant tirant sur un tigre, *aquarelle, vers 1830 ; ci-contre : cour de temple à Jodhpur (avec l'autorisation de Barbara Lloyd).*

***Page de gauche en haut :** composition de fruits tropicaux dans une salle à manger de Mexico ; **en bas :** toit-terrasse d'une maison de Los Angeles.*

LA PALETTE MODERNE

L'école du Bauhaus exerça une influence décisive sur l'évolution de la palette « moderne ». Créé en Allemagne en 1919 par Walter Gropius, le Bauhaus cherchait à appliquer les principes de la fonction et de la forme dans tous les domaines de l'architecture et des arts appliqués.

Sur le plan de la couleur, le Bauhaus prônait la clarté et la simplicité. La découverte récente du dioxyde de titane avait amélioré la qualité et la stabilité du blanc, dont le Bauhaus fit grand usage. Sur ce fond blanc, les modernistes aimaient à disposer des zones de couleurs fortes.

Ci-dessus :** reproduction du fauteuil « Rouge-bleu » de Gerrit Rietveld, 1917-1918 ;* ***en haut : Feuilles d'automne, *tapisserie d'Aubusson, 1971 ;* ***ci-contre :*** *salon moderne à Londres.*

PEINTURE ET MÉLANGE DES COULEURS

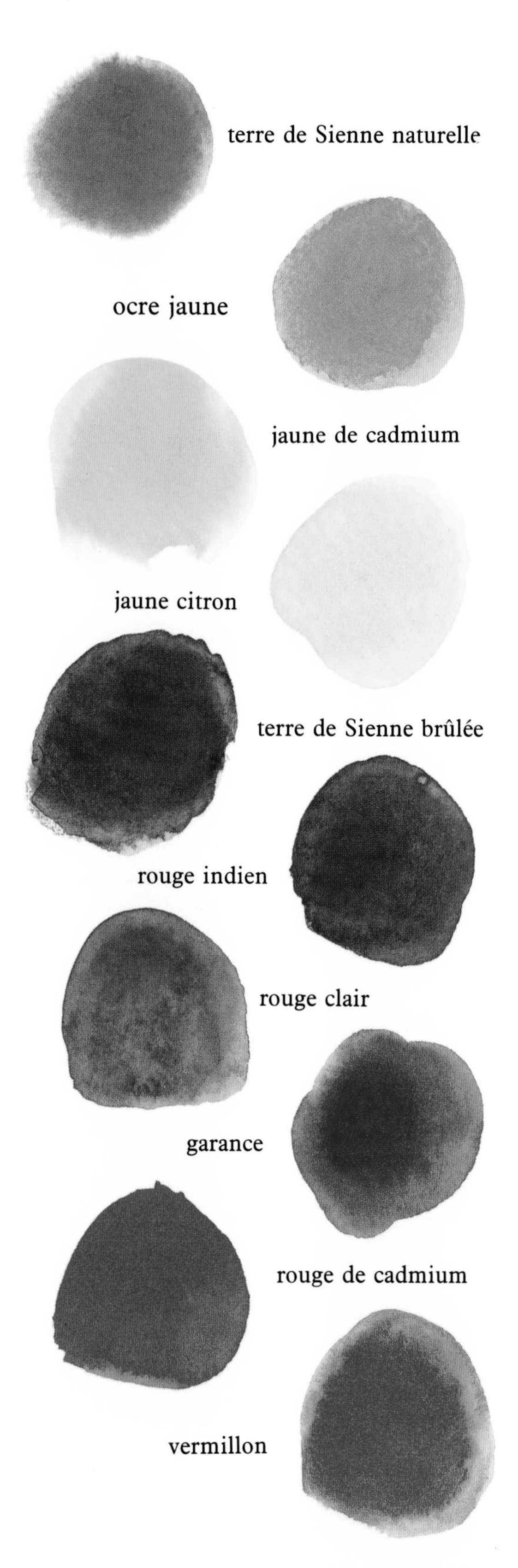

LES PIGMENTS

Toute peinture contient deux éléments principaux : la source de couleur — ou « pigment » — et son support. Les pigments (ou colorants), que l'on achète pour la décoration, sont présentés soit en tube, comme les couleurs d'artiste, soit sous forme de poudre acrylique. Ils sont obtenus à partir de diverses sources, organiques ou autres et des produits de synthèse existent pour chacun d'eux.

Si l'on cherche à établir l'authenticité historique des couleurs utilisées en décoration intérieure, il faut se souvenir qu'au XIXe siècle, il y avait souvent un laps de temps d'une vingtaine d'années entre l'invention d'un pigment et sa disponibilité dans le commerce. Au cours des cent vingt dernières années, le développement des couleurs synthétiques a fourni aux décorateurs un choix plus vaste, mais la plupart des effets s'obtiennent avec un nombre de pigments assez restreint. On trouvera illustrés ici les plus courants. Avant de les examiner plus en détail, leurs qualités générales exigent quelques commentaires.

Les pigments n'ont pas tous la même capacité à couvrir une surface. Les couleurs opaques, comme le rouge de cadmium ou le bleu céruléen, recouvrent très bien toutes les autres couleurs, alors que des pigments plus transparents seront modifiés par celles-ci ; on pourra donc les appliquer sur une couche de blanc pour créer des teintes délicates et subtiles. Des pigments, comme le bleu outremer ou le bleu de Prusse, malgré leur transparence, couvrent bien grâce à l'intensité de leur teinte.

La terre de Sienne naturelle vient d'une argile qui contient du fer et du manganèse. La meilleure qualité se trouve en Italie, près de Sienne. Plus rouge et plus brune que l'ocre jaune, la terre de Sienne est moins opaque, mais très stable.

L'ocre jaune vient aussi d'une argile naturelle colorée par l'oxyde de fer ; on la trouve dans de nombreuses régions du monde. Disponible en diverses teintes de jaune éteint, elle est opaque et permanente.

Le jaune de cadmium, extrait du sulfure de cadmium, remplace les anciens jaunes de chrome, moins stables. On le trouve dans une gamme de teintes chaudes, intenses et semi-transparentes.

Le jaune citron est un jaune transparent plus froid et plus pâle. Les meilleures variétés viennent de l'arylide, du cadmium et du baryum.

La terre de Sienne brûlée est obtenue en brûlant de la terre de Sienne naturelle dans un four. Couleur riche et brillante, elle est permanente et transparente, mais possède un faible pouvoir colorant. Parmi les rouges bruns, c'est la couleur la moins terne et elle ajoute de la profondeur et de la clarté aux mélanges.

Le rouge indien est un pigment permanent bleuté et opaque qui a remplacé le rouge d'Espagne. Il a un pouvoir colorant assez important et peut être mélangé avec du blanc ou utilisé comme badigeon pour obtenir des roses marqués.

Le rouge clair ou rouge anglais, qui a remplacé le rouge vénitien, représente des oxydes rouge pur qui sont plus éclatants que le rouge indien. Le rouge clair est opaque et possède un bon pouvoir colorant ; mélangé avec du blanc ou utilisé en badigeon, il peut donner une variété de rose saumon.

La garance est un pigment synthétique organique, mis au point en 1868. C'est un rouge froid qui a remplacé les laques carmin. Par sa clarté et sa transparence, c'est un excellent pigment pour les glacis.

Le rouge de cadmium, disponible depuis les années vingt, est composé de trois parts de sulfure de cadmium pour deux parts de séléniure de cadmium ; c'est un rouge chaud qui tire sur l'orange. Opaque et stable, il possède un bon pouvoir couvrant et colorant.

Le vermillon — du sulfure mercurique — fut employé en Europe pour la première fois au XVIIIe siècle. C'est un rouge opaque très vif, mais peu permanent : certains degrés d'intensité peuvent virer au noir.

Certains pigments ont un fort pouvoir colorant : il suffit d'une petite quantité pour obtenir un effet puissant. D'autres, comme le bleu de cobalt et le vert d'oxyde de chrome, sont beaucoup plus faibles.

Tous les pigments indiqués sont en principe assez stables pour un usage normal. Les couleurs de terre — ocre, terre de Sienne et terre d'ombre — ainsi que les bleus de cobalt et céruléen sont absolument permanents. La qualité des couleurs de terre est excellente et même les versions bon marché de ces pigments sont fiables. D'autres, en revanche, comme le rouge de cadmium, la garance et les bleus de cobalt et céruléen sont plus variables et l'on évitera de les utiliser à faible intensité.

L'effet obtenu avec un pigment peut varier en fonction de son support. Une fois sèche, par exemple, une peinture brillante paraîtra plus claire qu'une émulsion de la même couleur. Les pigments diffèrent également en fonction de leur utilisation ; demandez conseil, particulièrement si vous choisissez des couleurs connues pour être changeantes : les couleurs de terre comme la terre d'ombre naturelle et le rouge clair, ou l'outremer, le rouge de cadmium et le vert de phthalocyanine très intenses.

Gardez en mémoire que certains pigments ont des tons sous-jacents différents de leurs tons saturés, qui deviendront plus visibles si l'on emploie une fine couche de couleur transparente, comme pour un glacis, ou si l'on dilue un pigment opaque avec du blanc.

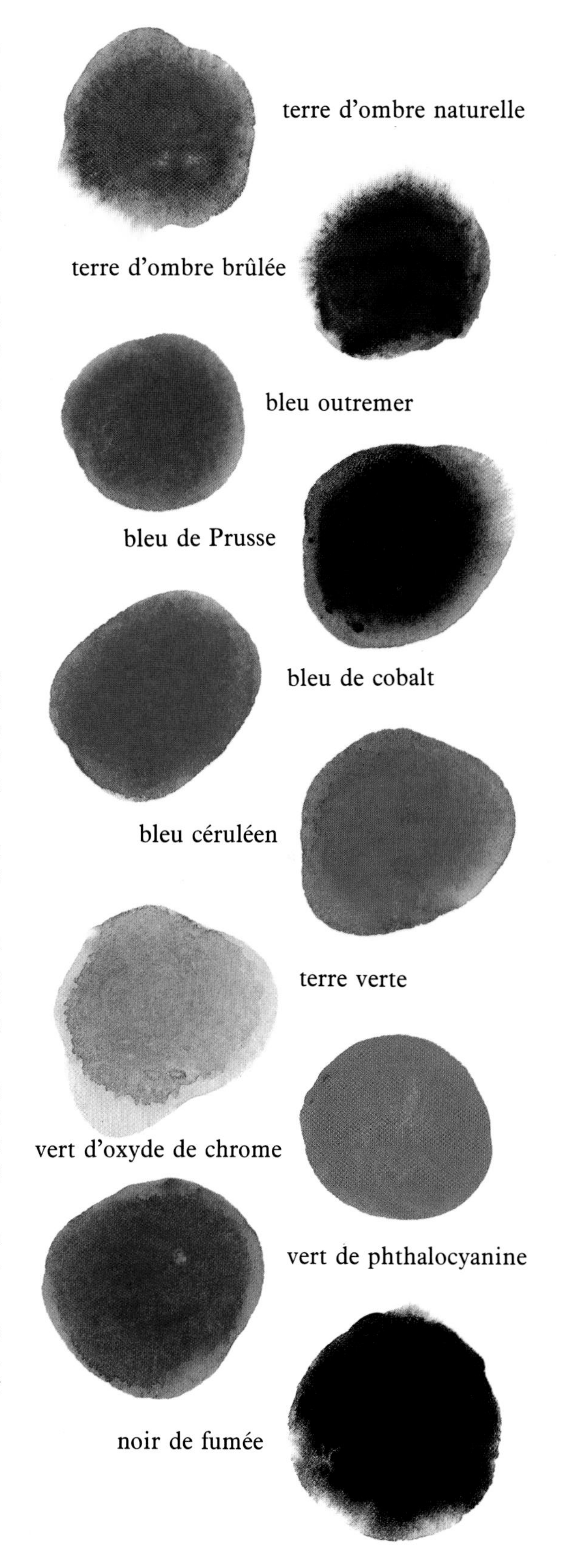

La terre d'ombre naturelle vient d'une argile contenant plus de manganèse que celle qui est utilisée pour la terre de Sienne. Les tons de ce brun sombre et froid varient du vert au brun-violet. C'est un pigment semi-opaque permanent.

La terre d'ombre brûlée, obtenue en brûlant de l'ombre naturelle, est plus rouge, de tonalité plus chaude et plus transparente que le pigment naturel. Permanente et de bon pouvoir colorant, elle peut être mélangée avec de l'outremer pour produire des noirs profonds.

Le bleu outremer fut à l'origine obtenu en broyant du lapis-lazuli mais, depuis 1828, il est produit artificiellement. C'est un bleu de tonalité relativement chaude, tirant sur le violet, de couleur intense, au fort pouvoir colorant et couvrant, malgré sa semi-transparence. Il est permanent dans la plupart de ses utilisations.

Le bleu de Prusse — un ferrocyanure ferrique — fut synthétisé comme pigment vers 1724. C'est un bleu tirant sur le vert intense mais, comme il n'est pas toujours stable, on le remplace souvent par le bleu permanent de phthalocyanine, qui a les mêmes propriétés et le même rendu. Les deux bleus sont transparents mais leur pouvoir colorant est très élevé.

Le bleu de cobalt, composé d'oxyde de cobalt, d'oxyde d'aluminium et d'acide phosphorique, est une couleur permanente et vive. Moins profond et moins intense que l'outremer, il possède une nuance verdâtre sous-jacente.

Le bleu céruléen, composé d'oxydes d'étain et de cobalt, est onéreux. C'est un bleu clair puissant, opaque et permanent.

La terre verte, pigment naturel, contient du fer et du manganèse. Diluée dans l'huile, elle est semi-transparente et a un faible pouvoir colorant et couvrant ; dilué dans l'eau, elle a plus de corps et de tenue.

Le vert d'oxyde de chrome, connu depuis 1809, est un pigment pâle, opaque et à tonalité froide. Son pouvoir colorant est assez faible, mais il est permanent quelles que soient ses utilisations.

Le vert de phthalocyanine, découvert en 1938, est un pigment permanent transparent avec un très fort pouvoir colorant.

Le noir de fumée est composé de carbone pur ; c'est un noir bleuté à tonalité froide. Il est permanent, avec un bon pouvoir couvrant et colorant.

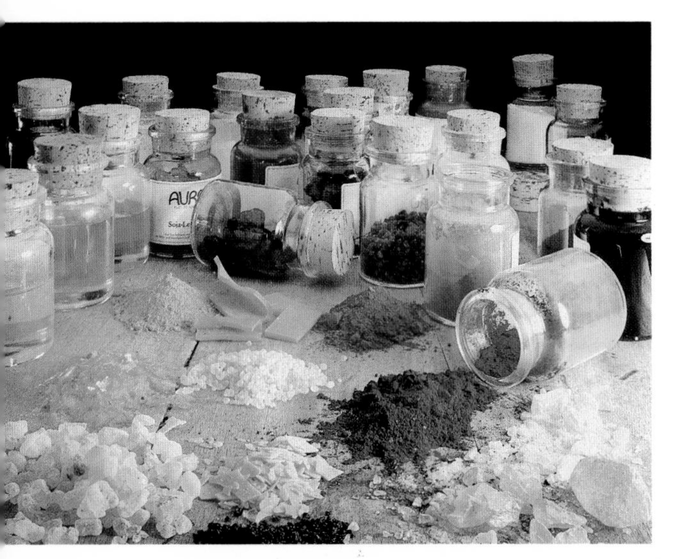

Ci-dessus : les pigments sont préparés à partir de substances organiques et non organiques. Sur cette photographie, on peut voir quelques pigments non organiques : diverses terres naturelles en arrière-plan et des minéraux au premier plan.

PEINTURE ET MÉLANGE DE COULEURS

Que vous choisissiez d'acheter vos peintures toutes prêtes ou de les préparer vous-même, il est essentiel de comprendre la composition et les utilisations des différents types de peinture, ainsi que la façon dont les couleurs sont mélangées, pour pouvoir choisir en toute connaissance de cause.

La peinture

Les peintures à usage domestique se sont beaucoup améliorées au fil des années : les pigments sont plus stables et les supports ont été modifiés, de sorte que les peintures sont plus faciles d'emploi. Auparavant, les pigments étaient dissous dans l'eau ou dans l'huile ; si l'huile de lin est toujours utilisée dans l'industrie, aujourd'hui, la plupart des peintures sont des mélanges de résines synthétiques : les peintures à l'huile se présentent généralement sous forme de résines alkyliques modifiées et les émulsions sous forme de copolymères PVA ou PVC. Toutefois, l'amélioration de la peinture a très souvent entraîné l'usage de composés pétrochimiques potentiellement toxiques et d'autres substances qui épuisent les ressources naturelles non remplaçables et polluent l'atmosphère. De plus, ces peintures ne permettent pas à la surface qu'elles couvrent de « respirer ». Aujourd'hui, on semble de plus en plus conscient des avantages de certains revêtements traditionnels, comme le lait de chaux et le badigeon, et de l'effet désastreux de certaines peintures sur l'environnement. Nombre de fabricants produisent des pigments organiques, des peintures, des liants et des solvants, sans bien connaître leurs avantages et leurs inconvénients. Ainsi, il vaut mieux prendre le temps de s'informer du contenu des peintures que l'on souhaite utiliser afin d'envisager les conséquences de leur application.

Les types de peinture : pour le décorateur, il existe des peintures pour couvrir l'enduit, le bois, le métal, les carrelages, le béton et le papier peint. On trouve des peintures à pulvériser, des peintures qui ne coulent pas, des émulsions solides et de plus en plus des formules à l'eau. La gamme est en réalité plus vaste que celle que l'on trouve dans les boutiques de bricolage et il vous faudra peut-être acheter certains pigments dans des magasins spécialisés. Toutefois, il existe deux principaux types de peinture pour décoration : les peintures à l'huile et les peintures à l'eau. On trouve également trois catégories de finition : mat, semi-brillant (ou satiné) et brillant.

Le mélange des couleurs

De nos jours, on trouve dans les boutiques, une gamme de plus en plus vaste de couleurs déjà préparées. Les avantages d'acheter de la peinture en boîte sont évidents : il est très facile de s'en procurer et l'on pourra ensuite réassortir la couleur. Il est en outre difficile de mélanger soi-même les couleurs sombres et une erreur peut se révéler très coûteuse.

Pourtant, choisir une peinture toute prête d'après un échantillon, généralement grand comme un timbre-poste, dans une boutique est extrêmement difficile et les « testeurs » ne sont pas toujours disponibles pour toutes les nuances de la gamme proposée. Il peut être utile de savoir qu'une fois sèches, certaines couleurs auront un aspect différent sur le mur ; il peut donc être utile d'acheter un petit pot d'essai. En outre, il n'est pas toujours possible d'acheter tout prêt le mélange ayant la couleur exacte que vous souhaitez ; il faudra alors vous résoudre à le fabriquer sur place. Un bon mélange de couleurs est avant tout une affaire d'expérience et d'instinct. Vous découvrirez rapidement que certaines couleurs — surtout les couleurs saturées — ne peuvent s'obtenir que d'une façon mais que le plus grand nombre d'entre elles peuvent être obtenues de plusieurs façons. La teinte de départ est très importante. Vous pourrez partir d'une base à l'huile ou à l'eau, mais il faudra vous en tenir à ce choix initial pour la suite des opérations. Pour obtenir une couleur claire ou de ton moyen, vous utiliserez du blanc non brillant comme base de peinture. Une base transparente (huile, glacis transparent, émulsion ou liant) peut être employée pour obtenir des couleurs profondes. La base transparente paraîtra parfois laiteuse dans sa boîte, mais s'éclaircira en séchant. Pour obtenir la bonne proportion de pigments, commencez par en mélanger une petite quantité, en notant soigneusement les doses employées.

Les couleurs secondaires : il est impossible de mélanger des couleurs primaires, et très difficile de bien mélanger soi-même des couleurs secondaires. Nous vous recommandons de les acheter toutes prêtes et de les modifier à votre convenance. Il est toutefois utile de connaître la théorie des couleurs, et même d'avoir devant soi un cercle chromatique pour pouvoir réaliser l'étape suivante. En règle générale, si votre couleur devient terne, c'est que vous essayez de mélanger des couleurs opposées sur le cercle, ou bien qu'il y a trop de couleurs différentes dans votre mélange. Il vous faudra du temps, de la patience et de nombreuses expériences avant de vous sentir sûr de vous. Si vous essayez de créer une couleur secondaire, comme le violet par exemple, vous pourrez ainsi constater que vous obtenez une couleur brunâtre et éteinte, au lieu de la belle couleur claire que vous espériez. Un bon moyen pour obtenir un mélange clair est de combiner des pigments qui s'harmonisent ou qui se rapprochent sur le cercle chromatique, et non des pigments trop éloignés. Pour obtenir un beau violet, vous devrez donc choisir des couleurs proches du rouge-violet ou du bleu-violet, et non du rouge-orange ou du bleu-vert. Les verts sont également très difficiles à mélanger. Pour obtenir un beau vert, vous partirez d'un bleu verdâtre — comme le bleu de Prusse — et vous le mélangerez avec un jaune citron (un bleu-rouge et un jaune-orange donneraient à votre vert une teinte brunâtre). Les couleurs tertiaires sont plus faciles à mélanger car elles sont moins « pures ».

Pour donner de l'éclat et de la profondeur à une couleur : une couleur intense ne peut être obtenue par mélange ; elle dépend uniquement d'un pigment pur et de bonne qualité, non atténué et sans trace de blanc. Pour appliquer une couleur intense, on la diluera pour obtenir un glacis, et on l'étendra sur un fond blanc. Une couleur éclatante ne pourra pas devenir plus éclatante, mais vous pourrez rehausser sa caractéristique essentielle en concentrant davantage le pigment. En revanche, si vous ajoutez de la peinture blanche, l'éclat sera vite perdu et les couleurs chaudes se « refroidiront ».

Pour atténuer ou rendre plus délicate une couleur intense : vous diluerez là aussi votre couleur puis vous ajouterez un peu de la complémentaire de la teinte que vous employez. La couleur deviendra plus délicate, puis moins intense si vous augmentez la dose de complémentaire ; elle finira par tourner au brun sombre.

Pour assombrir une couleur : soyez prudent lorsque vous ajoutez du noir pour foncer une couleur ; vous risquez de l'atténuer trop rapidement. Comme pour assourdir une couleur, vous la diluerez d'abord, puis vous ajouterez un peu de sa complémentaire, ou mieux, de la terre d'ombre naturelle. Vous pourrez également partir d'une base plus sombre ou concentrer davantage le pigment dans votre dilution.

Le mélange des couleurs pâles : commencez par une base blanche, dans un grand pot. Versez une petite quantité de ce blanc dans un second récipient, puis ajoutez vos pigments ou votre couleur jusqu'à obtention du bon mélange. Ce premier mélange devra être la teinte que vous souhaitez, mais paraîtra probablement plus sombre que lorsque vous y aurez ajouté le reste du blanc contenu dans le premier récipient. Vous pouvez tester la couleur sèche assez rapidement en utilisant un sèche-cheveux.

Utilisation des colorants et couleurs d'artiste : il existe des colorants de marques diverses, utilisés pour créer de nouvelles couleurs de peinture, malheureusement en petit nombre. Vous pourrez cependant élargir la gamme des couleurs disponibles en ajoutant de l'acrylique à une émulsion blanche, ou des couleurs à l'huile à de la peinture mate, satinée ou brillante. Les couleurs d'artistes vous permettront d'obtenir une gamme plus vaste et plus nuancée que les colorants, mais rappelez-vous que ces couleurs n'ont pas de siccatif incorporé ; la base reste donc huileuse et la peinture met plus de temps à sécher. De plus, les huiles et les acryliques n'ont pas la même concentration que les colorants universels.

Voici à présent des « recettes » de couleur spécifiques, montrant les différentes combinaisons qui vous donneront une idée visuelle du mélange des couleurs.

Les différentes étapes du mélange de couleurs

La façon la plus simple de préparer une couleur est la suivante :

1. Prendre un pot de peinture blanche (brillante, mate ou émulsion).
2. Ajouter quelques gouttes de colorant universel.
3. Mélanger soigneusement.
4. Tester la couleur.
5. Ajouter plus de colorant si nécessaire.

Pour préparer une couleur à partir d'une émulsion ou d'une couleur acrylique d'artiste :

1. Mélanger d'abord la couleur acrylique avec de l'eau pour la diluer et enlever les grumeaux.
2. Verser dans l'émulsion par petites quantités, en testant fréquemment sur une surface préparée à cet effet. Mélanger soigneusement.
3. Tester la couleur.
4. Ajouter plus de couleur si nécessaire.

Pour ajouter une couleur à l'huile d'artiste à une peinture à l'huile :

1. Mélanger la couleur à l'huile avec du white-spirit ou de la térébenthine pour enlever les grumeaux.
2. L'ajouter à la peinture (mate, satinée ou brillante) et mélanger soigneusement.
3. Tester la couleur, en se rappelant que l'huile met plus de temps à sécher que des teintures ou des acryliques.
4. Ajouter de la couleur si nécessaire.

Les étapes de la peinture

La meilleure façon de protéger une surface est de la couvrir de couches successives. Le minimum devra être une couche d'apprêt, une sous-couche — pour couvrir l'apprêt et donner le ton des couches suivantes — et une couche de finition qui donne à la surface son apparence finale et sa texture.

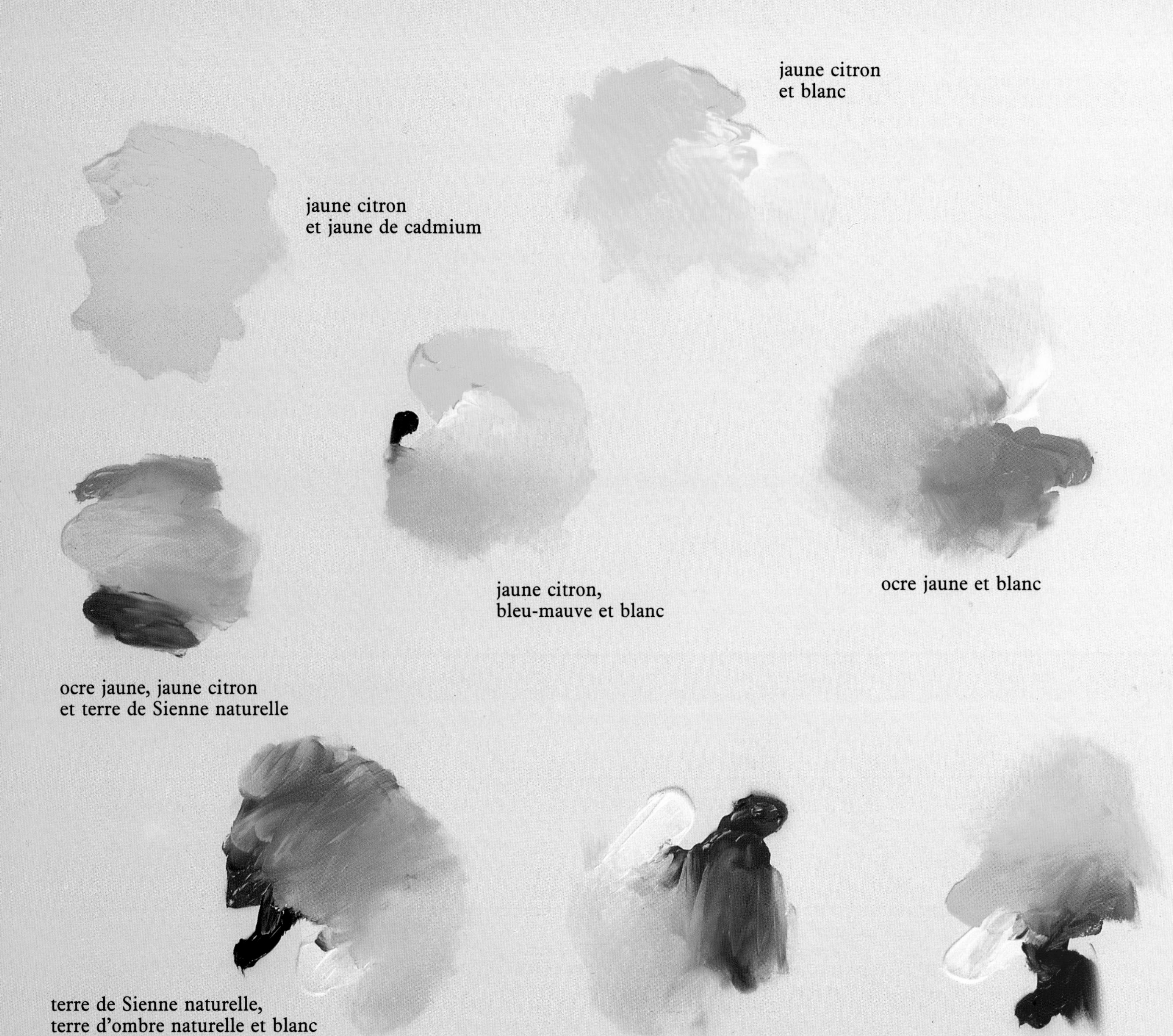

jaune citron
et blanc

jaune citron
et jaune de cadmium

jaune citron,
bleu-mauve et blanc

ocre jaune et blanc

ocre jaune, jaune citron
et terre de Sienne naturelle

terre de Sienne naturelle,
terre d'ombre naturelle et blanc

terre de Sienne naturelle et blanc

rouge indien,
jaune de cadmium
et blanc

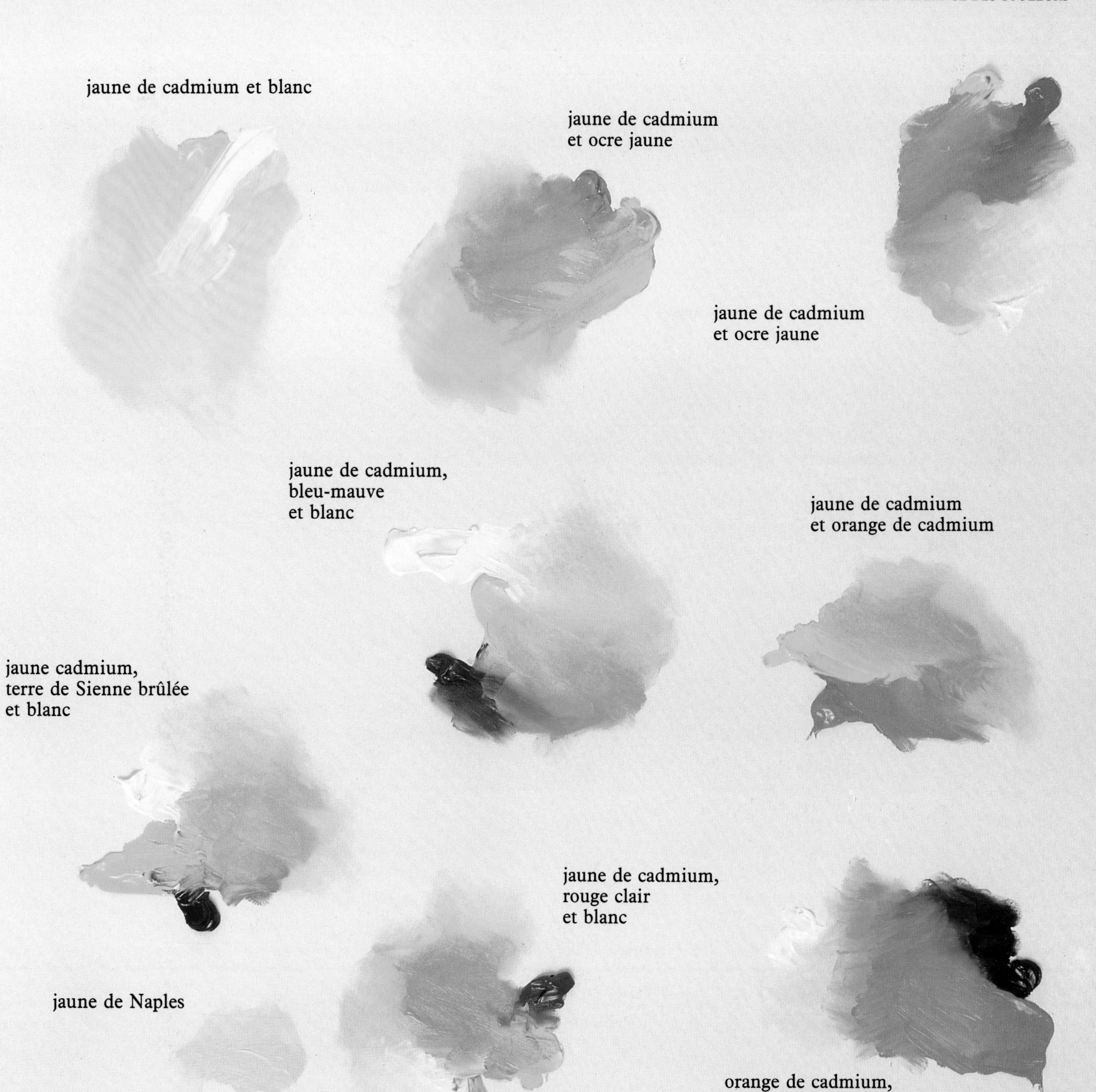
jaune de cadmium et blanc
jaune de cadmium
et ocre jaune
jaune de cadmium
et ocre jaune
jaune de cadmium,
bleu-mauve
et blanc
jaune de cadmium
et orange de cadmium
jaune cadmium,
terre de Sienne brûlée
et blanc
jaune de cadmium,
rouge clair
et blanc
jaune de Naples
orange de cadmium,
terre d'ombre brûlée
et blanc

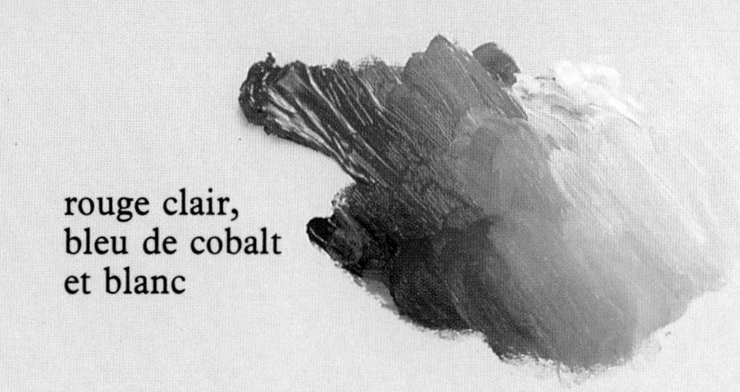

rouge clair,
bleu de cobalt
et blanc

rouge indien et blanc

rouge à l'alizarine
et blanc

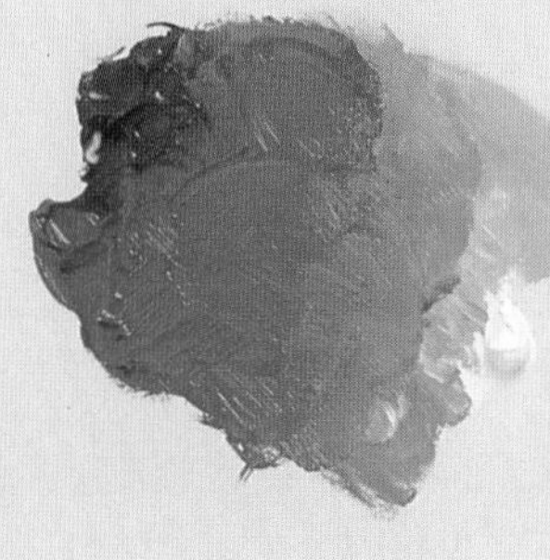

rouge de cadmium,
terre de Sienne naturelle
et blanc

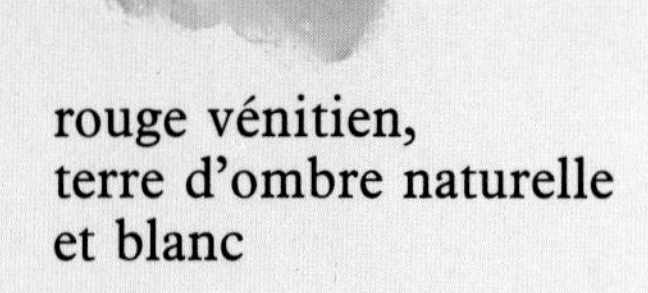

rouge vénitien,
terre d'ombre naturelle
et blanc

rouge de cadmium
et blanc

rouge de cadmium,
ocre jaune
et blanc

terre d'ombre brûlée

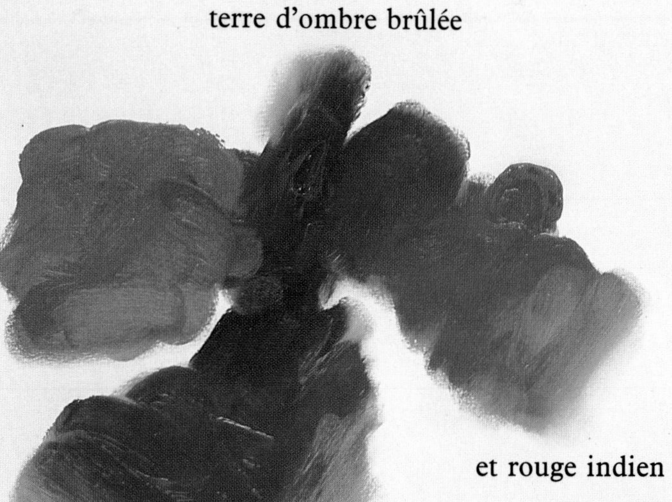

et rouge vénitien

et rouge indien

et terre de Sienne brûlée

rouge clair et rouge de cadmium

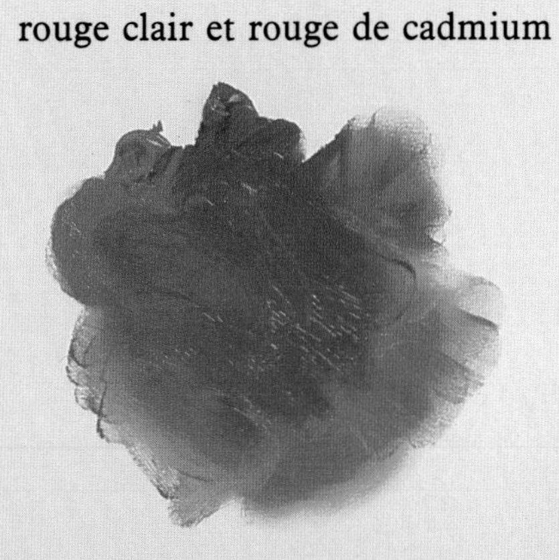

rouge à l'alizarine
et bleu outremer

rouge à l'alizarine
et vert anglais

violet de cobalt
et blanc

rouge à l'alizarine
et terre d'ombre brûlée

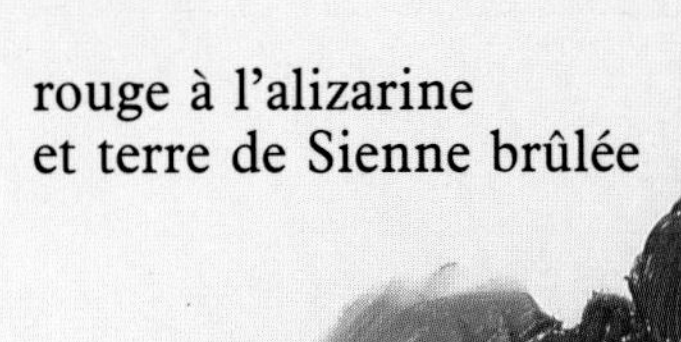

rouge à l'alizarine
et terre de Sienne brûlée

bleu-mauve et blanc

rouge de cadmium
et bleu outremer

rose permanent
et blanc

magenta et blanc

Des pigments bruns ou jaunes
peuvent être ajoutés
aux pourpres pour obtenir
des couleurs assourdies.

bleu de cobalt et bleu de Prusse

bleu de cobalt, bleu céruléen et blanc

bleu de cobalt, orange de cadmium et blanc

bleu outremer, bleu-mauve et blanc

bleu outremer, rouge à l'alizarine et blanc

bleu outremer, orange de cadmium et blanc

bleu outremer et blanc

bleu de cobalt et bleu outremer

bleu de cobalt et blanc

bleu de cobalt, bleu outremer et blanc

bleu de cobalt,
terre d'ombre brûlée
et blanc

bleu de Prusse,
terre d'ombre naturelle
et blanc

bleu outremer,
terre d'ombre brûlée
et blanc

bleu outremer,
terre d'ombre naturelle
et blanc

bleu céruléen,
vert anglais
et blanc

bleu de cobalt,
bleu céruléen,
terre d'ombre naturelle
et blanc

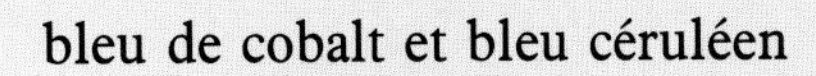

bleu de cobalt et bleu céruléen

bleu céruléen,
terre d'ombre naturelle
et blanc

vert anglais,
bleu céruléen
et blanc

vert anglais
et bleu de cobalt

vert anglais
et terre d'ombre naturelle

vert anglais,
terre d'ombre naturelle
et blanc

bleu de Prusse,
et jaune citron

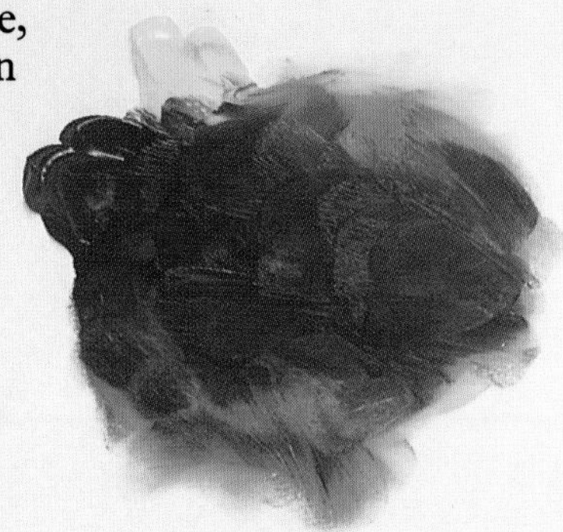

vert d'oxyde de chrome
et blanc

vert d'oxyde de chrome,
ocre jaune
et blanc

bleu céruléen et vert anglais

terre verte et blanc

jaune citron
et vert anglais

jaune citron
et noir

jaune de cadmium
et noir

ocre jaune,
bleu de Prusse
et blanc

jaune citron
et bleu céruléen

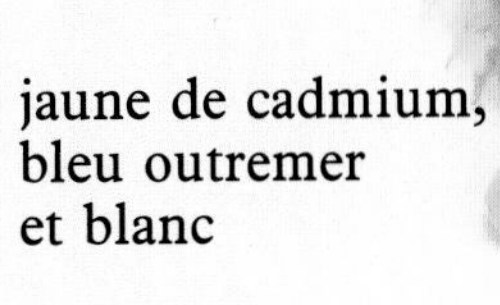

jaune de cadmium,
bleu outremer
et blanc

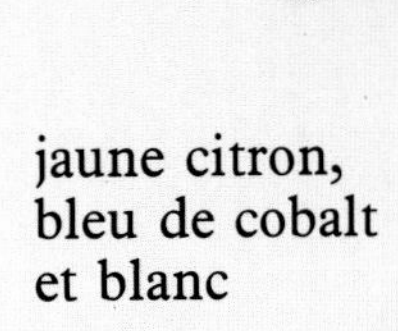

jaune citron,
bleu de cobalt
et blanc

jaune citron
et bleu cobalt

jaune citron,
vert anglais
et blanc

terre d'ombre brûlée
et rouge à l'alizarine

terre d'ombre
et terre de Sienne brûlées

terre de Sienne brûlée
et ocre jaune

terre d'ombre brûlée
et rouge de cadmium

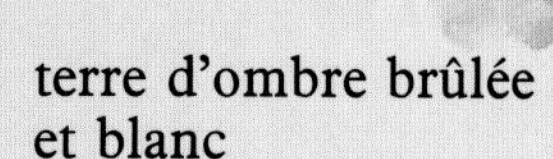

terre d'ombre brûlée
et blanc

terre d'ombre naturelle
et blanc

terre de Sienne naturelle,
terre d'ombre naturelle
et blanc

ocre jaune,
jaune de cadmium
et blanc

terre de Sienne naturelle
et blanc

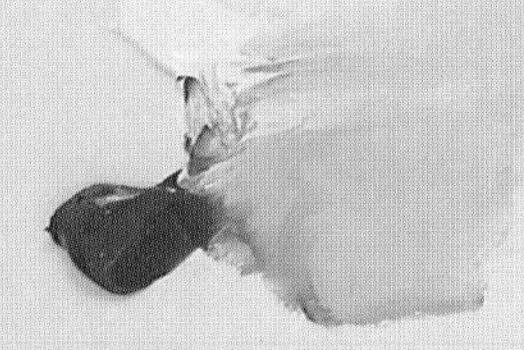

jaune de Naples
et blanc

ocre jaune,
terre d'ombre naturelle
et blanc

orange de cadmium,
bleu de cobalt
et blanc

vert d'oxyde de chrome,
terre d'ombre naturelle,
ocre jaune et blanc

terre d'ombre naturelle,
rouge à l'alizarine
et blanc

bleu-mauve,
jaune de cadmium
et blanc

rouge de cadmium,
vert anglais
et blanc

bleu outremer,
terre d'ombre brûlée
et blanc

bleu de Prusse,
terre d'ombre naturelle
et blanc

rouge de cadmium,
bleu de cobalt
et jaune de cadmium

bleu de Prusse
et terre d'ombre naturelle

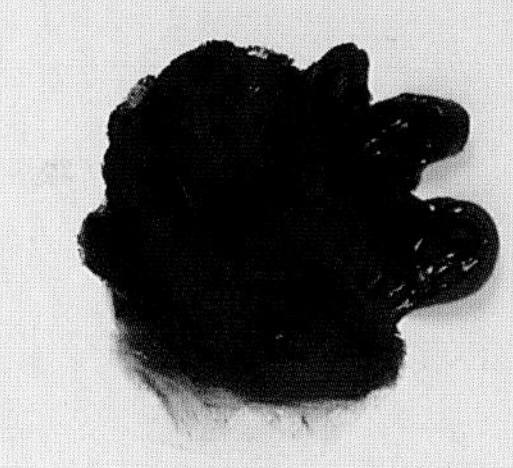

terre d'ombre naturelle,
bleu de cobalt
et blanc

gris de Payne et blanc

noir de fumée et blanc

noir d'ivoire
et blanc

FOURNITURES

Peinture à l'huile

Elle sèche plus lentement que celle à l'eau. Son grand avantage est qu'elle est assez résistante et généralement lavable mais il faut nettoyer les pinceaux et le matériel au diluant et donner un « ton » initial sur la surface à peindre. Traditionnellement, la peinture à l'huile se présentait comme un composé de blanc de céruse, d'huile de lin pure, de diluant (térébenthine), de siccatifs et de pigment. Avec les progrès récents de la technologie, l'huile de lin a été remplacée par un mélange d'huiles et de résines plus stable, plus fluide et d'un éclat plus intense. Les peintures à l'huile existent en plusieurs finitions :

Finition mate : elle ressemble à une émulsion, mais à base d'huile. Elle est relativement difficile à trouver, sauf chez les fournisseurs spécialisés, mais assez facile à étendre. Cette finition n'est pas très résistante et donc peu recommandée pour des zones très exposées. Pourtant, elle était presque passée de mode mais est de nouveau demandée et quelques grandes marques pourvoient à cette demande. Une finition mate peut également être obtenue par l'adjonction d'un agent de matité à une peinture à l'huile demi-mate, ce qui élargit la gamme des possibilités de couleurs.

Finition demi-mate (ou demi-brillante, ou satinée) : en séchant, cette peinture prend l'aspect de la coquille d'œuf. Elle est lavable, facile à appliquer et disponible dans de nombreuses teintes dans des magasins spécialisés. Attention : les appellations « demi-brillante » et « satinée » recouvrent assez souvent des nuances plus brillantes que l'appellation « demi-mate », qui doit être rigoureusement entre le mat et le brillant. C'est une excellente base pour les techniques décoratives comme le mouchetage, et on peut l'employer aussi bien sur les murs que sur les boiseries.

Finition brillante : elle est très luisante, généralement utilisée sur les boiseries plutôt que sur les murs. Bien qu'elle soit lavable et résistante, les défauts sont très visibles. Elle dévoile également les imperfections de la surface du mur beaucoup plus qu'une finition demi-mate.

Peinture à l'eau

La peinture à l'eau (ou émulsion) est plus facile d'emploi que les huiles, mais elle n'est pas aussi résistante. Une émulsion se compose de deux produits liquides : un polymère et, habituellement, de l'eau. Les émulsions bas de gamme ont un faible pouvoir couvrant et ne sont donc pas conseillées. Les émulsions peuvent se nettoyer mais ne sont pas lavables.

Finition mate : les émulsions et les peintures vinyliques mates ont plus de brillant que les peintures à l'huile correspondantes pour les murs et les plafonds ; elles sont peu coûteuses, s'appliquent et sèchent rapidement. On pourra s'en servir comme base pour certaines finitions décoratives ; certaines peuvent s'employer en couche unique.

Finition demi-mate : on trouve un grand nombre d'émulsions de ce type, parfois sous l'appellation de « vinyle satin ». Elles ont un léger brillant et s'utilisent généralement sur les murs. La couverture ne sera pas aussi bonne qu'avec une finition mate, mais résistera mieux au nettoyage. Ces dernières années ont vu l'apparition sur le marché d'un acrylique demi-mat séchant très rapidement, spécialement conçu pour le bois.

Finition brillante : il n'existe pas vraiment de peinture à l'eau très brillante. On a régulièrement essayé de les introduire sur le marché, mais le conservatisme des décorateurs d'intérieur ou la durée de vie moins longue de ces finitions par rapport à leurs homologues à l'huile ont fini par les faire disparaître. Toutefois, avec les progrès récents des acryliques, des peintures semi-brillantes ont fait leur apparition et on devrait trouver des finitions brillantes de grande qualité. Un PVA adhésif (colle à l'eau pouvant être passée en couche mince et qui sèche en devenant transparente et brillante comme un vernis) peut être étendu sur l'émulsion pour augmenter sa brillance. On trouve enfin — moins facilement — des glacis brillants en émulsion qui donnent à peu près le même résultat.

Vernis

Le vernis est une couche transparente appliquée sur les surfaces. Comme la peinture, il peut être à l'huile ou à l'eau et on le trouve en finition mate, demi-mate ou brillante. Les vernis à base d'huile sont faits d'huiles, de résines et de diluants ; les vernis à l'eau sont préparés à partir de résines acryliques. Le vernis est normalement utilisé pour protéger les surfaces, en leur donnant une finition qui met en valeur la couleur sous-jacente et accentue son éclat. Les finitions mates et demi-mates, moins résistantes, sont peut-être davantage employées en décoration. Pour obtenir le maximum de clarté et de résistance avec peu de brillance, les premières couches devraient être en finition brillante. Les vernis à l'huile ont tendance à jaunir. Les vernis « marine » sont, par exemple, destinés à protéger contre l'effet corrosif de l'eau de mer et des rayons du soleil. Excellents pour les bois d'un bateau, ils tirent sur le jaune et pourront faire paraître vert un mur peint en bleu pâle. Le glacis en émulsion mentionné ci-dessus est parfois appelé « vernis », mais il est fragile. On l'utilise pour recouvrir des papiers peints afin de pouvoir les nettoyer à l'éponge, mais on peut également l'employer pour donner une légère protection à d'autres surfaces. De vrais vernis à l'eau ont fait récemment leur apparition sur le marché et certains sont assez résistants pour qu'on puisse les utiliser pour les sols. Ils sont parfaits pour des surfaces de couleur claire, car ils ne jaunissent pas et sèchent très rapidement. On peut éventuellement ajouter un pigment dans le vernis pour créer une nuance « diffuse » sur une surface colorée. Il faut cependant garder en mémoire qu'un glacis n'est pas un vernis à proprement parler et que ses propriétés sont très différentes.

MATIÈRES COLORANTES

Les pigments en poudre

On peut les trouver dans des magasins spécialisés ; ils se mélangent à des supports à l'huile comme à l'eau avant usage. Ils sont classés en fonction de leur origine. Les pigments non organiques sont les terres naturelles, comme l'ocre et les ombres, mais aussi les couleurs préparées à partir de minéraux, comme le rouge de cadmium et le blanc de zinc. Les pigments organiques sont d'origine animale ou végétale, comme l'indigo, la garance, le carmin et le jaune indien. Les pigments organiques synthétiques comprennent le rouge à l'alizarine et le mauve.

Les colorants universels

Ils fournissent les couleurs dans des solutions que l'on peut mélanger avec des peintures à l'eau et à l'huile. Ils sont disponibles dans la plupart des boutiques de décoration et de bricolage.

Les couleurs d'artiste à l'huile

Elles se divisent en deux catégories : art et études. La première est la plus chère et contient un pourcentage de matière plus important ; c'est elle qui fournit également la meilleure permanence de la couleur et qui possède le meilleur pouvoir colorant. Les couleurs d'études sont évidemment moins chères. Il est conseillé de tester les différentes gammes proposées dans le commerce, car vous pourrez préférer telle couleur dans l'une plutôt que dans l'autre. À la différence des colorants universels, les couleurs d'artiste ne s'utilisent qu'avec des peintures à l'huile. Par ailleurs, on peut les ajouter aux médiums et aux vernis à l'huile.

Les couleurs d'artiste acryliques

Elles sont faites de pigments mélangés à un support acrylique. On les étend avec de l'eau et elles sèchent rapidement pour former un film souple, résistant et imperméable. Pour ne pas abîmer vos brosses et pinceaux, mettez-les dans l'eau pour éviter qu'ils ne sèchent. Vous utiliserez comme palette un plat en verre, que vous pourrez nettoyer ensuite avec une lame de rasoir. Les acryliques sont particulièrement appropriées pour le travail au pochoir car elles sèchent vite et peuvent être employées pour colorer d'autres peintures à l'eau.

PEINTURES ET FINITIONS SPÉCIALES

Outre les peintures et les finitions usuelles pour la décoration, à base d'huile ou d'eau, d'autres procédés sont intéressants pour la décoration intérieure. Ce sont le lait de chaux, le badigeon et les glacis.

Le badigeon

Il s'agit de blanc de chaux ou de craie broyée mélangé à de la colle, de la caséine ou une « émulsion » d'huile et d'eau. Il en existe deux types, tous deux caractéristiques par la matité et l'aspect crayeux de la surface obtenue.

Le badigeon léger : lié à la colle, il est appelé « léger » car la couverture reste soluble à l'eau et peut s'enlever facilement par lessivage. Il y a une vingtaine d'années, c'était la finition standard pour les plafonds, malgré l'inconvénient de son aspect « poudreux ». Il est applicable sur les murs, mais on ne peut pas le nettoyer et la poussière se fixe dessus. Ce badigeon connaît un renouveau d'intérêt après de nombreuses expériences de restauration de corniches et de stucs élaborés, recouverts de plusieurs couches de peintures.

Tous les ingrédients pour fabriquer le badigeon sont disponibles dans les magasins spécialisés, mais une préparation toute prête existe également pour les plafonds, ce qui rend la tâche plus aisée. Certains fabricants proposent depuis peu ces badigeons en kit.

Préparation d'un badigeon léger

Mettre 1,4 kilogramme de blanc d'Espagne dans un seau et recouvrir d'eau. Laisser tremper une nuit. Éliminer le surplus d'eau, puis ajouter 1/2 litre de colle chaude (obtenue en dissolvant 30 grammes de colle animale, ou colle tottin, dans 1/2 litre d'eau chaude). Mélanger avec soin et laisser refroidir. Le mélange doit ressembler à de la gelée ; il aura un excellent pouvoir couvrant. (Si vous remarquez des grumeaux ou une pellicule à la surface du mélange, éliminez-les soigneusement à travers une mousseline ou un tamis.) En séchant, le produit deviendra blanc cassé, sauf si vous ajoutez une petite quantité de bleu pour raviver la blancheur. Vous pouvez aussi le colorer avec d'autres pigments, à condition de les mettre avant la colle. Une fois sec, le badigeon paraîtra beaucoup plus clair que lorsqu'il était encore mouillé. (Les surfaces très poreuses devront être recouvertes, au préalable, d'une fine couche de colle.)

Le badigeon lavable : les badigeons de ce type peuvent être plus ou moins nettoyés. Appelés aussi « peinture à l'eau », ils sont toujours produits par quelques fabricants. On en trouve de deux types : ceux qui sont liés avec une émulsion d'huile dans l'eau (ou le vernis) et ceux qui sont liés à la caséine. Plus résistants que les badigeons légers, ils s'utilisent pour les murs. En outre, il n'est pas nécessaire de les gratter avant la réfection du mur. Les recettes de fabrication de ce type de badigeon sont assez complexes et vous aurez avantage à acheter le produit tout préparé.

Le lait de chaux

Jusqu'à une époque récente, le lait de chaux a été le revêtement traditionnel de l'extérieur des maisons et on l'emploie toujours dans certains pays. Il donne une finition mate et résiste quelques années avant qu'il soit nécessaire de le refaire. La patine du temps fait partie de son charme, de même que les couleurs de terre qui y sont traditionnellement mélangées. Le lait de chaux a de grands avantages, car il permet à la surface de respirer. Cela est particulièrement important pour les maisons construites avant le milieu du siècle dernier, qui peuvent ne pas être pourvues de couche isolante. Les ingrédients du lait de chaux se trouvent dans les magasins spécialisés, mais il faut prendre de grandes précautions lors de la préparation, car il est extrêmement caustique lorsqu'il est humide. Si vous voulez le préparer, il sera plus prudent d'utiliser de la chaux éteinte plutôt que de la chaux vive. Il faudra absolument mettre des lunettes, des gants et des vêtements de protection avant de commencer le travail.

Préparation du lait de chaux

Placer 1 litre de chaux éteinte dans 10 litres d'eau, avec une tasse de lait écrémé. Mélanger soigneusement jusqu'à obtention d'une pâte onctueuse. Ajouter à nouveau du lait écrémé jusqu'à ce que le mélange ait la consistance d'une crème liquide. Si l'on doit ajouter un pigment, il faudra le délayer longtemps auparavant avec un peu d'eau chaude dans un récipient à part. On ajoutera alors le pigment au mélange crémeux et l'on mélangera à nouveau pour homogénéiser le tout, avant de le filtrer dans un second récipient. Rincer alors le premier, en enlevant soigneusement toutes les particules. Tester la couleur en étendant un peu de mélange sur un morceau de papier blanc, puis en laissant sécher ; rectifier si nécessaire. Diluer ensuite le mélange jusqu'à ce qu'il ait la consistance du lait, puis le filtrer de nouveau en le repassant dans le premier récipient. Le produit est alors prêt à l'emploi.

Il est important de suivre scrupuleusement le mode d'emploi pour obtenir de bons résultats. La surface sera brossée et bien humidifiée avant le chaulage ; un pulvérisateur de jardin sera l'instrument idéal pour maintenir humide la surface à chauler. Ne pas appliquer le lait de chaux quand le soleil est particulièrement intense et ne pas chercher à accélérer le séchage. Plusieurs couches fines seront préférables à une ou deux couches épaisses. La chaux détruit certaines couleurs ; les couleurs de terre sont généralement à l'abri des attaques, mais il est bon de vérifier auparavant auprès d'un spécialiste.

Il existe de nombreuses méthodes pour rendre durable un lait de chaux. Celle que nous avons donnée ci-dessus a l'avantage d'être facile à suivre et de ne pas abîmer les maçonneries poreuses. L'usage du lait de chaux nécessitant des retraitements de même nature — après décapage ou recouvrement — on attendra d'être parfaitement sûr de sa technique avant de passer le lait de chaux à l'intérieur d'une maison.

La caséine

Tirée du lait écrémé, la caséine est souvent utilisée comme liant aussi bien pour le lait de chaux que pour le badigeon. La réaction en présence d'une substance alcaline donnera un adhésif extrêmement puissant. On l'utilise également en peinture, en combinaison avec de la chaux ou une autre substance capable d'annihiler sa tendance à coller. La caséine donne une finition naturelle. Sous sa forme la plus pure, elle est disponible en poudre, qui doit être utilisée fraîche pour de meilleurs résultats.

Préparation d'une peinture à la caséine

Prendre 60 grammes de caséine en poudre et les incorporer doucement à 1/3 de litre d'eau, en remuant lentement pour éviter les grumeaux. Quand le mélange est homogène, ajouter 30 grammes de carbonate d'ammonium et mélanger de nouveau. Laisser reposer 30 minutes environ, avant de verser à nouveau dans 1/3 de litre d'eau. On peut alors y ajouter des pigments soigneusement broyés dans l'eau. Cela donnera une finition mate, qui séchera rapidement et sera à la fois résistante et imperméable. Mettre les pinceaux dans l'eau si on ne les utilise pas et nettoyer soigneusement le matériel une fois les travaux terminés.

Finition « chêne cérusé »

Le vrai chêne cérusé est du chêne dans lequel on a fait pénétrer de l'enduit pour en boucher les fentes. La finition donne une apparence semblable ; c'est un traitement qui blanchit le bois tout en laissant voir son grain et ses veines. Il ne convient donc qu'aux bois fortement veinés comme le chêne ou le pitchpin.

Préparation pour une finition « chêne cérusé »

Prendre une solide brosse métallique de décorateur, frotter vigoureusement le bois dans le sens des veines pour enlever les parties tendres, et éliminer toute la poussière. Prendre ensuite un chiffon doux, le plonger dans une peinture demi-mate de couleur pâle (blanc cassé, bleu pâle et vert pâle sont les plus recommandées). Passer le chiffon imbibé sur le bois, en s'assurant que la peinture remplit bien tous les interstices laissés par le passage de la brosse. Prendre ensuite un chiffon propre légèrement imbibé de white-spirit et ôter tout excès de peinture, de sorte que la couleur ne reste que dans les fentes du bois. Laisser sécher. Une couche de cire peut ensuite être passée pour protéger le bois.

Glacis

Il est composé d'une base huileuse et transparente, à laquelle on a ajouté un pigment ; passé sur une couche antérieure de peinture, le glacis laissera apparaître par transparence la couleur de cette peinture, surtout s'il est passé à la brosse ou au chiffon. Le glacis a plus de corps qu'un vernis et n'est pas totalement transparent. On l'utilisera précisément pour garder l'aspect donné à la surface par la brosse ou le chiffon.

La plupart des finitions colorées se réalisent avec la recette suivante. Toutefois, il existe plusieurs préparations et il sera peut-être nécessaire de modifier le mélange en fonction de votre projet.

Préparation d'un glacis

Préparer un mélange de 50 % de glacis transparent à l'huile et de 50 % de white-spirit. En règle générale, 1/2 litre de ce mélange, avec les pigments appropriés, sera suffisant pour couvrir une pièce de 16 mètres carrés. Pour la matière colorante, on pourra utiliser aussi bien des huiles d'artiste que des colorants universels ou des peintures à l'huile. Si l'on désire des teintes pâles, il sera souvent préférable de sacrifier un peu de translucidité en ajoutant la couleur sous forme d'une peinture à l'huile toute prête. Il faudra procéder à plusieurs essais pour déterminer la proportion de couleur dans le glacis : commencer par en préparer une petite quantité, afin de pouvoir l'enlever si le résultat ne convient pas. Les effets d'épaisseur et de couleur pourront être variés à l'infini et seule la méthode des « essais et erreurs » permet d'atteindre progressivement le résultat souhaité. Pour une finition tamponnée, on veillera par exemple à passer le glacis par surface limitée au maximum à un mètre carré, que l'on couvrira d'une fine couche égale, spécialement sur les bords ; puis on tamponnera à l'aide d'un chiffon de coton. Répéter l'opération section par section jusqu'à achèvement de la pièce. Pour une protection supplémentaire, on peut passer une couche de vernis quand le glacis est sec.

Murs laqués

Les laques étaient jadis fabriquées à partir de résines d'arbres orientaux. Le matériau était toxique et le travail demandait beaucoup de temps ; le laquage était donc réservé à des objets ou meubles de petite taille. Aujourd'hui, des murs entiers peuvent être laqués. Les verts et les rouges cramoisis profonds sont particulièrement appréciés, avec un vernis de finition qui leur donne de l'éclat. Il existe de nombreuses méthodes de laquage, la plus rapide étant de recouvrir d'une couche de vernis une peinture à finition brillante. On peut obtenir un effet plus intense et plus profond avec une couleur à l'huile brillante, sur laquelle on passera un glacis de la même couleur ; après avoir enlevé le surplus de matière, on le passera à la brosse en poils de blaireau pour obtenir un aspect poli. On laissera sécher, avant de recouvrir le tout d'une couche de vernis de finition brillante ou demi-mate.

PHOTOGRAPHIES

Agence Top/Pascal Chevalier : 48, 115G, 147 ; Roland Beaufre : 149 ; Peter Aprahamian : 23, 46H
Arcaid/Richard Bryant : 6, 17, 52, 79D, 83D, 88, 94B, 102G, 108, 110, 112, 113D, 115D, 120D, 135BG, 153H, 157B, 160H, 165HD ; Jeremy Cockayne : 81D ; Mark Fiennes : 77D ; Lucinda Lambton : 34B, 85, 102D, 120G ; Alberto Piovano : 79G
Arc Studios/Sue Atkinson © FLL : 40G, 65D, 90D, 103D, 176-185
Laura Ashley : 159HD
Auro Organic Paints (GB) Ltd : 174
Art Directors Photo Library/Larry Lee : 153BG
Paul Barker : 50, 122/23, 141D
Oliver Benn : 131H, 136G
Boys Syndication/Michael Boys : 26D, 34H, 58D, 116H, 118B
Camera Press : 15D, 124 ; Peo Eriksson : 13, 64, 95, 113G, 161HG ; Brunno Müller : 27
Geoff Dann © FLL : 100/01
Michael Dunne © FLL : 164D
Elle Décoration/Transworld : 57G, 83G
John Freeman : 14B
Karl-Erik Granath : 32, 40D, 47D
John Hall : 14H, 25, 91, 118H, 129
Lars Hallen : front cover, 45, 67, 80, 86D, 114H, 157HG, 158D
Lizzie Himmel : 35, 63G, 70D, 72, 109B, 139D
Ian Howes © FLL : 12G, 33G, 51D, 78D, 99HD, 136D, 153BD, 167BG
Jacqui Hurst © FLL : 20/21
Ken Kirkwood : 96, 105G
Andrew Lawson : 42/3
Barbara Lloyd : 77G, 152G, 169G
Norman McGrath : 82HD
John Miller : 55B
Derry Moore : 1, 16D, 24, 28, 39G, 71, 76, 167HG
James Mortimer : back cover, 36, 37G, 66 ; courtesy of Smallbone : 31, 33D, 138, 139G, 141G
David Murray © FLL : 61G, 65G, 105D, 116B, 132G, 135H
Jean-Bernard Naudin : 22
Hugh Palmer : 117
Julie Phipps : 57D
Ianthe Ruthven : 2, 15G, 39D, 41, 46B, 49, 54B, 55H, 63D, 73HG, 84, 87, 93D, 103G, 114B, 119, 128H, 150, 154D, 159BD, 165B ; © FLL : 12D, 18, 38, 53, 61D, 70G, 81G, 98, 99BG, 106, 107G, 109H, 170BD
Paul Ryan/J.B. Visual Press : 94H, 126, 137, 145H, 152D
Fritz von der Schulenburg : 54H, 58G, 59, 62, 68, 69, 73B, 82HG, 82B, 86G, 89G, 90G, 92, 97, 99HG, 107D, 111G, 121, 130, 131B, 132D, 134, 135BD, 140, 143, 144B, 145BG, 146, 148, 157HD
Marc Stanes : 51G
Jay Whitcombe : 104
Elizabeth Whiting & Associates/Tim Street-Porter : 10, 11, 16G, 56D, 74/75, 78G, 168 ; Peter Wolosynski : 125H, 145BD
The World of *Interiors*/Tim Beddow : 30H ; Nadia MacKenzie : 133
World Press Network Ltd/IPC Magazines : 26G, 29, 30B, 37D, 44G, 60, 93G, 111D, 125B, 127, 128B, 142D

LISTE DES DÉCORATEURS

Bowler Hamoush 46D, 63HD, 103G
Day Keith 31, 138, 141H
Dubreuil André (réalisation) 36
Easton David 35
Fairholme Georgina 118D
Falkard Michael 143
Feilding Amanda (réalisation) 34D, 85
Fergusson Barry 86H
Fox Linton Mary 147D
Gollut Christophe (propriétaire) 36, 66
Grant Roy 81H
Grey John, pour Smallbone 33B
Griffin-Strauss Diana 107, 135BD
Hakansson-Lamm Ingel 27
Hariri & Hariri 129
Harrison Paul 62 (tapissier)
Hempel Anoushka 148
Hensser Joséphine (réalisation) 92
Hicks David 38, 53H, 61D, 68, 81G, 98, 99G
Hill Derek 76
Hudson Veronica (réalisation) 37
Humphries Miranda 99H, 130
Knapp Robin 30H
Lagerfeld Karl 73D
Liberatori Raymond 128D
Mark Hampton 25, 63HG, 109B, 139D
Mlinaric David 132D, 14D
Montal Andrea, de (antiquaire) 62, 92
Nicol Diana 105B
Pennink Merlin 65H, 105H, 116D
Saladino John 70H
Schitterlöw Yvonne (propriétaire) 86D
Sloan Annie 51H, 78D, 136D
Spagnol Lucie (réalisation) 106
Stefanidis John 69G, 82D, 131G
Stewart Annie et Lachlan (propriétaires) 57G, 83G
Sutcliffe John et Gabrielle 29
Szell Michael 11G
Townsend Andrew (architecte) 104B
Westenholz Piers, von 82H
Wingate-Saul Nicola 41

(B : en bas ; BD : en bas à droite ; BG : en bas à gauche ; D : à droite ; G : à gauche ; H : en haut ; HD : en haut à droite ; HG : en haut à gauche)

INDEX

Les chiffres en italique renvoient aux légendes

REMERCIEMENTS

Les auteurs souhaitent remercier ici tous ceux qui leur ont ouvert leurs maisons et qu'elles ont dérangés, parmi lesquels Chris Coppack, Belinda Hextall et Vanessa Rhodes. Leurs remerciements vont également à Lady Davina Gibbs, Barry McNamara, Helena Mercer, Graham Piggott et Andrew Townsend pour leur collaboration, ainsi que les participants aux cours d'Annie Sloan. Merci également à Claire Ansell et Kris Grainger pour leur aide ; à Saskia, Kit Smith et Hugo, à Henry et Thomas (Felix) Manuel pour leur patience.

L'éditeur remercie les personnes et les sociétés suivantes qui ont participé à la réalisation de ce livre : Sallie Coolidge, Penny David et Matthew Sturgis ; Katy Foskew et Niki Medlikova ; Patrick Baty et John Sutcliffe ; Valérie Bingham et Susanne Haines ; Ian Bristow ; Carol Dethloff ; William Gallagher ; Tom Helme ; Potmolen Paint ; Smallbone of Devizes ; Stephen L. Wolf. Nous sommes également reconnaissants à tous ceux qui nous ont permis de photographier leurs maisons : Susy Benn, David Hicks, les propriétaires de « Muthaiga », Adeline Nolan, Merlin Pennink et Annie Sloan.
L'éditeur français remercie Don Jacques Ciccolini pour sa précieuse collaboration à l'adaptation de cet ouvrage.
Pour l'autorisation de reproduire les dessins, tableaux et photographies de ce livre, l'éditeur remercie : Bibliothèque Forney, Paris (160B) ; Bracken Books, Londres (47G, 162HG, 167D) ; The British Museum, Londres (44H, 56G, 155BG, 155D) ; The Design Museum, Londres (170G) ; Fine Arts Photographs & Library Ltd. (163) ; Laing Art Gallery, Newcastle Upon Tyne [avec l'aimable autorisation du Tyne and Wear Museums Service] (166H) ; Mary Evans Picture Library (159G) ; Musée d'Art et d'Histoire, Genève (144H) ; The National Gallery, Londres (154G, 155H) ; Royal Academy of Arts, Londres (158G) ; Sir John Soane's Museum, Londres (161BG) ; The Tate Gallery, Londres (142G) ; Victoria & Albert Museum, Londres (89D, 156D, 161D, 162D, 164G, 165HG, 166B, 169HD, 170HD) ; The Wallace Collection, Londres (156G) ; Yale University Art and Architecture Library (19, 151, 171).